Déjà parus :

– *Lily et la magie défendue*, Tome 1
– *Lily et le dragon d'argent*, Tome 2
– *Lily et la prison enchantée*, Tome 3

Titre original : *Lily and the Traitors' Spell*
© Holly Webb 2012
First published in 2012 by Orchard Books,
a division of Hachette Children's Books, London UK
© Flammarion pour la traduction française, 2014
87, quai Panhard et Levassor – 75647 Paris Cedex 13
ISBN : 978-2-0812-9978-8

HOLLY WEBB

ET LA PROPHÉTIE

Traduit de l'anglais (Grande-Bretagne)
par Faustina Fiore

Flammarion

Pour tous ceux qui voulaient connaître
la fin de l'histoire de Lily.

UN

Le projectile s'enfonça dans la grande toile de fond avec un bruit sourd.

Henrietta poussa un jappement de surprise et s'aplatit sur le plancher de la scène, les yeux exorbités.

— Je croyais qu'il ne devait pas y avoir de vraies balles, dans le pistolet ! cria Lily à Daniel.

Ses ongles s'enfonçaient dans ses paumes. Tout était allé si vite ! Si l'arme avait été dirigée vers l'un de ses amis, elle n'était pas certaine qu'elle aurait pu l'arrêter.

Argent, qui était en train de dormir au milieu du décor, secoua ses ailes et souffla une mince volute de fumée.

— Je n'ai pas beaucoup l'expérience des armes modernes, dit-il de sa voix grondante, mais ce coup de feu m'a paru bien réel.

Daniel regardait fixement le pistolet, perplexe.

— Ce n'est pas possible...

— Je déteste ce nouveau tour, marmonna Nicholas.

Cela ne faisait que quelques semaines que Mary et lui travaillaient comme assistants de Daniel dans son spectacle de prestidigitation, depuis leur évasion collective de l'institut Fell, mais Nicholas jurait qu'il avait déjà failli mourir deux fois. Lily supposait qu'il exagérait... mais pas tellement. Nicholas avait le physique idéal pour ce rôle : mince et souple, il pouvait se faufiler facilement dans toutes sortes de cachettes. Mais il avait mauvaise mémoire, ce qui était assez gênant pour quelqu'un qui avait besoin de savoir dans quel ordre de longs couteaux allaient être enfoncés dans la cabine où il était enfermé. Nicholas avait même envisagé de se créer une sorte de cotte de mailles magique. Il soutenait que ce n'était pas tricher, puisque cet enchantement ne faisait pas partie du tour, mais ses arguments ne convainquaient personne. Mary était même particulièrement irritée par cette idée car, n'ayant pas de pouvoirs surnaturels elle-même, elle était obligée de tomber juste dès la première fois.

Lily interrogea Nicholas, soupçonneuse :

— As-tu touché au pistolet ?

— Je suis sûre que oui ! renchérit Mary.

— Ce n'est pas vrai ! s'indigna Nicholas. Je vous jure que non ! C'est injuste. Depuis que j'ai transformé le lapin en créature verte sans le faire exprès, tout le monde m'accuse chaque fois qu'il y a un problème !

Un peu secoué, Daniel s'assit au bord de la scène et posa le beau pistolet ouvragé à côté de lui.

— Belle a encore une teinte verdâtre, Nicholas. Et elle n'aime plus les carottes. C'est devenu difficile de la faire sortir du chapeau : elle mord.

Il soupira.

— Ce n'était pas une balle en cire, n'est-ce pas ? Que s'est-il passé ?

Lily vint s'asseoir à côté de lui, et Henrietta grimpa sur ses genoux, une patte tendue sur la jambe de Daniel.

— Je ne pense pas que ce tour soit une bonne idée, dit Lily. Cette fois, vous ne faisiez que tester le pistolet, mais si ça arrivait à nouveau ?

— Ça n'arrivera plus, affirma Daniel, qui tentait sans grand succès d'avoir l'air rassurant. Il a dû y avoir une confusion...

— Si le coup était parti alors que je te visais, fit remarquer Mary en s'accroupissant près d'eux, je ne me le serais jamais pardonné. Et de toute façon, je ne vois pas l'intérêt de ce tour. C'est ridicule ! Pourquoi quelqu'un voudrait-il attraper une balle entre ses dents ?

— Ça aurait une telle intensité dramatique...

— Il faut reconnaître que voir ta cervelle se répandre sur la scène serait assez dramatique, en effet, ironisa Henrietta.

Daniel se leva et alla prendre une petite boîte posée sur une table. Il souleva le couvercle, les mains tremblantes, et effleura de l'ongle les balles luisantes contenues à l'intérieur.

— Ce sont des vraies. À l'exception de celle-ci, au bout.

Il la souleva, la roula entre ses doigts, et posa ensuite son index sur ses lèvres.

— Elle est sucrée. Et moins lourde que les autres. Elles auraient toutes dû être comme ça.

— Mystère élucidé, alors, conclut Henrietta. Quelqu'un a mangé tes balles en sucre. Un des enfants, sans doute.

Elle lança un regard lourd de suspicion à Nicholas, mais Daniel objecta :

— Elles ne sont pas entièrement en sucre. Juste une fine couche au-dessus de la cire ; du sucre cuit de manière à ressembler à du métal.

Argent agita ses ailes avec nervosité et s'approcha en faisant glisser sa queue sinueuse sur la scène.

— Ah... Vous parlez des petites boules noires, brillantes ? Ces drôles de bonbons avec un cœur tout mou ?

Tout le monde le fixa, et il baissa la tête, l'air aussi piteux que pouvait l'être un dragon grand comme une maison.

— J'aime les confiseries. Elles sont tellement meilleures qu'il y a quelques siècles ! À l'époque, nous avions de la pâte d'amandes, et des bâtons de réglisse... Mais aujourd'hui ! Les bonbons à la menthe, le chocolat... J'ai senti une délicieuse odeur sucrée, et elles avaient une si jolie couleur ! Je les ai remplacées, ensuite : il y en avait un sac plein à côté...

— Oui, confirma froidement Daniel. Les vraies balles, à montrer au public.

— Ah.

— J'aurais dû m'en rendre compte, quand j'ai chargé le pistolet. (Daniel soupira.) Peut-être qu'en effet, nous ne sommes pas prêts à nous lancer dans ce tour. Mais il aurait un tel retentissement !

— Il ferait même les gros titres, se moqua Henrietta. « Décès tragique d'un prestidigitateur présomptueux ».

— Je suis désolé, reprit le dragon d'une voix faible, presque flûtée malgré son ton naturellement grave. Je n'aurais pas dû me servir. Heureusement que c'est moi que la balle a failli toucher, en fin de compte.

Il baissa son long cou ondulant comme un serpent pour regarder Daniel dans les yeux :

— Je suis désolé, répéta-t-il.

Il souffla un petit nuage de magie scintillante qui s'enroula autour du visage et des épaules de Daniel comme de la fumée. Le jeune homme inspira et fut parcouru par un léger frisson. Sa peau prit une teinte lustrée, argentée. Il secoua ses cheveux trop longs comme s'ils lui retombaient dans les yeux, et les mèches étincelèrent.

— Qu'as-tu fait ? Je me sens plein d'énergie !

— Cela devrait durer un certain temps. Je voulais me faire pardonner. Je n'aurais pas dû manger ces petites choses sans savoir ce que c'était. Néanmoins, Daniel, mon cher, je continue à nourrir des doutes au sujet de ce nouveau tour. Ces stupides Hommes de la reine ne voudront jamais croire que ce n'est qu'une illusion. Qui pourrait attraper une balle avec les dents sans utiliser la magie ? Ils te jetteront en prison – enfin, c'est ce qu'ils feraient s'ils avaient encore une prison...

Il s'autorisa une petite fumerolle satisfaite. Deux jours plus tôt, Lily et Georgie avaient pénétré par effraction dans Archgate, la prison magique où était enfermé leur père. Elles n'y étaient pas allées seules : Rose, une magicienne qui avait contribué à fabriquer cette prison, les avait aidées à franchir les obstacles qu'elle avait mis en place bien des années auparavant. Elles avaient également emmené une princesse, car la porte secrète avait été enchantée de manière à ne pouvoir être ouverte que par un membre de la famille royale. Par chance, les filles en avaient justement un à leur disposition, puisqu'elles avaient aidé la princesse Jane à s'évader à dos de dragon de l'institut Fell, une sorte de maison de redressement pour les magiciens en herbe. Jane y avait été enfermée plusieurs décennies plus tôt, quand elle avait refusé de réprouver la magie. On l'avait laissée vieillir dans une chambre du manoir, et on avait annoncé à la population qui l'aimait tant qu'elle était morte.

Pourtant, malgré l'appui d'une princesse et d'une magicienne de renom, Lily et Georgie avaient failli être capturées. Les Hommes de la reine avaient surgi juste au moment où elles venaient de faire sortir leur père de la cellule où il avait été enfermé pendant presque dix ans. Adélaïde, la reine mère, qui haïssait les magiciens depuis que l'un d'eux avait assassiné son époux, et qui avait accompagné les gardes à la prison pour s'assurer qu'ils captureraient les fugitifs, avait ordonné à ses hommes de les attaquer. Quand elle se réveillait la nuit, Lily entendait encore la voix rauque de la vieille dame qui hurlait des ordres terribles, ravie de les avoir pris au piège.

Mais Argent avait senti qu'elles étaient en danger et s'était introduit dans les couloirs étroits de la prison par la force de ses griffes, en démolissant tout sur son passage, afin de les tirer de là. Les sortilèges embouteillés des gardes n'avaient aucun effet sur lui ; Lily avait même l'impression qu'ils lui donnaient de la force. Elle était presque certaine que la magie le nourrissait. Ce qui était plutôt une bonne nouvelle, étant donné qu'elle ne savait pas ce qu'il mangeait d'autre, et ne tenait pas à le savoir.

Ils s'étaient donc envolés, laissant derrière eux une prison à moitié en ruine. Comme celle-ci était cachée sous l'arche de cérémonie qui conduisait vers la cour d'entrée du palais, les Hommes de la reine avaient fait proclamer qu'une bande de magiciens proscrits avait attaqué le palais. Lily avait lu des articles de journaux à Argent en les accompagnant de commentaires furieux, jusqu'à ce que celui-ci lui fasse remarquer qu'elle était effectivement une proscrite, et qu'avec son père, Rose, Georgie, Nicholas – aussi incontrôlée que fût sa magie – et lui-même, ils formaient bel et bien une bande de magiciens.

Lily aimait assez cette idée.

***

Lily glissa un œil dans l'entrebâillement et essaya de distinguer l'intérieur de la petite pièce sombre. Son père y dormait, sous une pile de couvertures et d'édredons. Du moins le croyait-elle. Si elle n'en avait rien su, elle aurait juré que la chambre était vide.

Elle fit un pas en arrière. La pièce *était* vide. Et de toute façon, elle n'aurait pas dû être là. Elle se retourna comme dans un rêve, et se heurta à Henrietta, qui s'était assise au milieu du couloir et secouait la tête avec force, à croire que ses oreilles la démangeaient.

Lily poussa un petit cri et trébucha, les mains tendues, en essayant de ne pas tomber sur le sol poussiéreux. Quelqu'un la rattrapa par le coude, et elle poussa une exclamation soulagée.

— Peter !

Il l'aida à reprendre son équilibre et fronça les sourcils, comme pour lui demander ce qui s'était passé.

— J'ai juste trébuché sur Henrietta, expliqua Lily en le regardant bien en face, pour qu'il puisse lire sur ses lèvres.

Puis elle se retourna vers la porte. Il y avait quelque chose qui clochait... Et d'où avait donc surgi Peter, juste à temps pour l'empêcher de tomber ?

Presque en transe, elle avança vers l'ouverture sombre et tendit un bras en avant.

Vide. Vide. Vide.

Mais la pièce n'était pas vide. Elle le savait. Lentement, comme si elle nageait dans du miel poisseux, Lily porta son poing à sa bouche et se mordit les jointures. La douleur lui éclaircit les idées, assez pour lui faire comprendre ce qui se passait.

— Tu étais là-dedans ! reprocha-t-elle à Peter, le visage tout près du sien, pour s'assurer qu'il la comprenne. Qu'y faisais-tu ? C'est la chambre de mon père !

Peter fit un pas en arrière et sortit son carnet de sa poche. Il le tint devant lui, le crayon posé sur la page, mais n'écrivit rien. Il ne savait pas quoi dire. Finalement, d'une écriture ronde et soignée, bien plus lisible que celle de Lily, il marqua :

Il ne parle pas, lui non plus.

— Que dit-il ? demanda Henrietta. Où est ton père ?

— Tu lui tenais compagnie, alors ? demanda Lily, presque blessée.

Elle n'avait pas pensé que cette infirmité partagée pouvait représenter un lien entre Peter et son père. Elle avait à peine vu ce dernier depuis qu'il était monté sur le dos d'Argent et qu'ils s'étaient évadés d'Archgate. Cela ne faisait que deux jours, et il avait besoin de reprendre des forces. Il était épuisé, et très affecté. Tout le monde l'avait bien compris, et l'avait laissé se reposer, se contentant de lui apporter de la nourriture, aussi goûteuse qu'ils pouvaient se le permettre. Et des journaux, aussi : Henrietta avait suggéré qu'il avait peut-être envie de savoir ce qui se passait dans le monde, après avoir été enfermé dans la plus grande solitude pendant dix ans.

Lily et Georgie avaient donc fait preuve de tact et ne l'avaient dérangé que pour lui dire bonjour le matin ou pour lui apporter ses repas. Lily savait que si elle commençait à l'interroger, elle ne pourrait plus s'arrêter. Les questions jailliraient d'elle, au sujet de Merrythought, et de leur mère, et de ce qui avait tué leurs sœurs. Le savait-il ? Avait-il consciemment laissé Maman instiller les mêmes maléfices en Georgie ? Était-il d'accord ?

Et maintenant qu'il était libre, pouvait-il la délivrer, à son tour ?

Lily était passée devant cette porte à maintes reprises au cours des dernières heures, et chaque fois, elle s'était forcée à continuer son chemin, à le laisser tranquille jusqu'à ce qu'il aille mieux, à se rappeler qu'il était malade, marqué par ces années de prison...

Mais voilà que Peter avait communiqué avec lui, et en secret, en plus, derrière ce sortilège de protection !

Suis allé ramasser sa vaisselle du petit déjeuner, expliqua Peter par écrit. *Il m'a retenu. Voulait savoir des choses.*

— Comment es-tu entré ? Il a ensorcelé sa porte !

Tout en parlant, Lily se rendit compte que cela impliquait deux choses : d'abord, son père était suffisamment rétabli pour faire de la magie, et ensuite, Peter avait réussi à résister au sortilège.

Il avait l'air étonné quand je suis entré, confirma Peter après un instant de réflexion. *Je ne savais pas qu'il avait jeté un sort.*

Lily l'examina de haut en bas. Elle le connaissait depuis longtemps, depuis qu'il avait été abandonné sur la plage de Merrythought alors qu'ils étaient encore tous les deux très jeunes. Elle avait tendance à le voir comme quelqu'un qui serait toujours à ses côtés. Elle avait été très triste à l'idée de le laisser sur l'île, quand il avait aidé Georgie et elle-même à s'enfuir, et l'avait supplié de les accompagner. Mais Merrythought était le seul lieu où Peter s'était senti à peu près chez lui, et il n'avait pas osé partir. Il avait poussé leur barque vers la mer, puis s'était caché sous un ponton. Quand Lily l'avait à nouveau cherché des yeux, il avait disparu.

À présent, malgré la pénombre du couloir, elle s'apercevait qu'il avait mûri. Peut-être était-ce une conséquence des étranges enchantements de l'institut Fell. Certes, la magie était strictement interdite dans le pays, mais il y avait quelques exceptions. Quand Lily et Georgie avaient été envoyées là-bas, Lily avait rapidement découvert que le chocolat chaud qu'on leur servait au coucher était drogué de manière à engourdir les enfants, et ce d'autant plus facilement qu'une bonne partie d'entre eux avait été accusée à tort et n'avait aucun pouvoir surnaturel. Le chocolat, et le sortilège asphyxiant qui imprégnait les murs et l'enceinte de l'institut Fell, avaient étouffé presque toute l'énergie des enfants ; malgré tout, les surveillants portaient toujours sur eux des petits flacons bleus contenant des sortilèges embouteillés afin de réprimer toute tentative de rébellion.

Les adultes de l'institut avaient été convaincus que Peter était un apprenti magicien, comme Lily et Georgie, et le fait qu'il ne parle pas avait renforcé leur détermination à le faire plier. Même lorsque Argent avait éclairci les esprits des autres enfants emprisonnés, Peter, trop lourdement touché par les sortilèges, semblait à peine se rappeler qui il était. Il avait failli mourir en tombant comme une poupée de chiffon du dos d'Argent, lorsqu'ils avaient décollé du manoir. Un autre dragon l'avait rattrapé au vol, mais Lily se rappelait encore l'horreur qui l'avait saisie quand elle l'avait vu tomber en tournoyant vers la terre, comme une feuille morte.

— Peut-être que la magie n'agit plus sur toi de la même manière, après tout ce qu'on t'a fait ?

Soudain, elle se retourna, surprise, et agrippa le bras de Peter :

— Oh !

Henrietta trottait déjà vers la porte en agitant frénétiquement les oreilles. Lily la suivit, attirée par l'enchantement le plus doux qu'elle ait jamais ressenti. À l'inverse de tout à l'heure, elle tenait désormais à entrer dans la pièce. À tout prix. Ne pas le faire serait effroyable...

Une fois à l'intérieur, Henrietta grimpa sur les couvertures empilées et fixa sévèrement le père de Lily.

— Ce n'était pas très poli, lui reprocha-t-elle (et Lily fut contente d'être dispensée de le faire). Vous auriez pu nous prier d'entrer, tout simplement !

Papa sourit tristement et secoua la tête.

— Bon, d'accord, peut-être pas, admit la chienne. Mais tout de même...

Peter s'avança vers le grabat en tendant son carnet et son bout de crayon, mais le père de Lily lui sourit et fit un signe négatif. Il ferma un instant les yeux – sans leur miroitement

bleu vert, il semblait plus vieux, et plus pâle –
puis les rouvrit, les pupilles fixées sur le mur.

Lily se tourna pour voir ce qu'il regardait, et
se mit à rire.

Il y avait un bébé sur la paroi. Une petite fille
dodue, qui agitait ses mains potelées devant
Lily. Elle portait une robe jaune élimée, et Lily
tendit le bras pour la toucher avant de se rappeler que ce n'était qu'une image. Elle connaissait cette robe. Personne ne jetait jamais rien,
à Merrythought, et il y avait une robe comme
celle-ci dans le vieux coffre en bois au pied de
son lit.

— C'est moi ? demanda-t-elle avec ravissement.

Son père hocha la tête.

Les jambes flageolantes, Lily s'assit sur les
couvertures, sans quitter des yeux la fillette
qui riait. Son père se souvenait d'elle, donc. Et
contrairement à Maman, il la voyait comme un
joyeux bébé, et non comme une arme destinée
à renverser la reine.

— Je ne savais pas si tu te rappelais... avoua-
t-elle.

Une fillette un peu plus grande apparut derrière le bébé, et Lily avala péniblement sa salive.
Georgie devait avoir tout au plus trois ans, mais

elle avait déjà une expression angoissée, et se mordillait les doigts. Les leçons de Maman avaient commencé.

— Pourquoi ne l'en as-tu pas empêchée ? demanda-t-elle avec colère.

Elle regarda son père bien en face. Comment avait-il pu laisser sa mère faire ça ? Il devait être au courant, pourtant. Même s'il aimait Nerissa à la folie, il avait forcément dû remarquer ce qui se passait...

Lorsque Lily était née, ses deux sœurs aînées, Lucy et Prudence, étaient déjà mortes. Elles n'avaient pas eu la force de résister aux maléfices empoisonnés que leur mère avait insufflés en elles. Peu à peu, leur magie et leur énergie avaient décliné, et elles s'étaient éteintes. Maman s'était alors rabattue sur Georgie. Lily était venue au monde sans être désirée, même si Maman l'avait peut-être considérée comme une dernière chance. Mais elle n'avait pas eu besoin de recourir à elle : Georgie avait survécu, même si elle ne s'était pas épanouie.

Lily se rappelait encore l'époque où elle jouait avec sa sœur, quand elles étaient petites. Cependant, à partir du moment où elles avaient eu respectivement quatre et six ans, sa grande sœur était déjà trop occupée pour jouer. Elle passait ses journées dans la bibliothèque avec Maman, derrière des piles de livres et d'étranges instruments.

Lily avait toujours rêvé que Maman lui donne des leçons, à elle aussi, mais ses pouvoirs ne se décidaient pas à apparaître, et de toute façon, Maman avait déjà Georgie. Pourquoi aurait-elle perdu son temps avec cette gamine dépourvue de talent ?

À présent, Lily était consciente que c'était seulement cette éclosion tardive de sa magie qui l'avait sauvée. Elle avait évité d'être ensorcelée à son tour, et quand elle avait découvert ce que subissait Georgie, Henrietta et elle l'avaient persuadée de s'enfuir. Elles avaient donc fui leur mère et la vieille maison sur l'île. Mais Georgie ne pouvait pas fuir les maléfices. Ils étaient implantés en elle, et attendaient leur heure, de plus en plus virulents au fur et à mesure que le temps passait. Bientôt, ils sortiraient... Et ensuite ? Le pire de tout, c'était que Georgie elle-même ignorait ce qu'elle était censée faire. Elle savait juste qu'il s'agissait de quelque chose de terrible, de dangereux, qui ferait revenir la magie dans le pays.

Elles avaient été élevées sous le joug de cette prophétie : Georgie était celle grâce à qui tout redeviendrait comme avant, à l'époque où les magiciens n'étaient pas encore enfermés ou exilés. C'était sa destinée, et cette cause leur avait semblé belle et noble. Comment aurait-on pu s'y opposer ? Mais aucune des deux sœurs n'avait su exactement comment Georgie était censée s'y prendre pour atteindre ce but, jusqu'à ce qu'elles tombent sur une liste de sortilèges cachée entre les pages d'un album de photographies. L'album contenait des vieux portraits de leurs sœurs, qui n'avaient pas survécu à l'entraînement de Maman. Lorsque Lily et Georgie avaient vu la liste, elles avaient compris pourquoi. Il n'y avait là que des maléfices cruels, mortels ; et d'après les annotations de leur mère, ils étaient destinés à assassiner une personne en particulier.

C'était à ce moment-là que l'horrible vérité s'était révélée à elles.

Le seul moyen de faire revenir la magie dans le pays était de se débarrasser de la personne qui l'avait interdite. Lily n'avait aucune preuve, mais elle était presque certaine que leur mère voulait que Georgie tue la reine.

Leur mère faisait partie d'un complot fomenté par un groupe de magiciens projetant d'éliminer la famille royale, de prendre la tête du gouvernement, et de faire revenir la magie au pouvoir après ses trente années d'illégalité. Elle était si dévouée à cette cause qu'elle était prête à utiliser sa propre fille comme arme. Toutes ses filles, même, les unes après les autres.

Les maléfices destructeurs étaient difficiles à apprendre, et encore plus difficiles à maîtriser. Maman avait dû abandonner l'espoir que Lucy et Prudence y arrivent un jour. Elle les avait laissées mourir, à moins qu'elle ne les ait tuées elle-même ; Lily et Georgie l'ignoraient. Et elle s'apprêtait à en faire autant avec Georgie. Elles l'avaient entendue l'annoncer. Elle comptait l'envoyer « rejoindre les autres », et faire une dernière tentative avec sa quatrième fille : Lily.

Quand les deux sœurs l'avaient découvert, il ne leur était plus resté qu'une solution : s'enfuir.

Lily regarda avec colère l'image sur le mur en plâtre écaillé. Une version plus jeune de Papa était apparue derrière les deux fillettes, la main posée sur l'épaule de Georgie. Lily observa son doux visage et ses boucles châtains qui ressemblaient tant aux siennes, et sa rancœur s'évanouit.

Son père croyait-il être encore le même ? Il n'avait probablement pas eu l'occasion de se regarder dans un miroir depuis son évasion. À présent, ses boucles étaient plates et presque blanches, et son visage marqué de rides et d'ombres. Lily voyait la ressemblance, mais l'homme assis derrière elle était vieux, désormais.

— Je l'aimais, répondit tristement l'image de son père encore jeune. Je n'ai pas compris ce qu'elle faisait. Je suis désolé, Lily. Je suis terriblement désolé. Je ferai tout ce que je peux pour aider ta sœur.

— C'est ta fille avant d'être ma sœur ! cria Lily, les poings serrés. C'est toi qui devrais veiller sur elle, pas moi !

Il frémit, et des larmes brillèrent dans ses yeux.

— Je sais. Je n'aurais jamais dû vous laisser. J'aurais dû deviner ce que Nerissa essayait de faire à Georgie. Ce qu'elle avait déjà fait à Lucy et Prudence...

Sa voix s'était faite rauque, hésitante, comme s'il avait du mal à prononcer ces derniers mots – pourtant, l'image sur le mur n'était qu'un sortilège, et aurait pu parler sur n'importe quel ton. Il tendit une main vers Lily, mais s'arrêta avant de la toucher, pris de timidité.

— Je n'aurais pas dû être aussi ridiculement noble. En refusant de renoncer à mes pouvoirs, je vous ai abandonnées.

— Oui. Cela dit, je ne crois pas que j'aurais pu m'y résigner, moi non plus, admit Lily.

— J'aurais voulu que tu grandisses ici, tu sais. À Londres, telle que la ville était autrefois. Tu aurais adoré ça !

— Elle débordait de magie, j'imagine ?

— Non, et je crois que c'était une erreur. Les magiciens étaient trop fiers, et exigeaient trop d'argent pour exercer leurs pouvoirs. La magie n'était accessible qu'aux riches, et les pauvres n'avaient presque jamais l'occasion d'en voir. Pourquoi donc nous auraient-ils soutenus, quand nous avons tous été accusés à la suite de l'assassinat du roi ? Nous n'avions jamais fréquenté le peuple d'assez près pour nous faire aimer.

Le jeune Peyton fronça les sourcils, plongé dans ses souvenirs, et le vieil homme fatigué assis sur le lit soupira.

— Malgré tout, tu aurais été entourée de magie dès le jour de ta naissance, Lily. Tu aurais fréquenté d'autres enfants de magiciens, et vous auriez essayé de jeter vos premiers sorts ensemble. (Il rit doucement.) J'ai brûlé les rideaux du salon, un jour, en essayant d'invoquer un esprit du feu.

Lily acquiesça.

— Moi aussi, j'aurais aimé connaître cette vie. Je comprends pourquoi tu as agi ainsi. Moi non plus, je ne pourrais pas me passer de magie. Georgie, elle, n'hésiterait pas une seconde !

Son père fronça le nez pour manifester son étonnement, et Lily pouffa. Georgie adoptait souvent la même mimique.

— Je sais, c'est vraiment bizarre, reconnut-elle en secouant la tête. Elle préfère coudre ! Et je crois que ce serait le cas même si sa magie n'était pas altérée. Elle prétend qu'elle n'a jamais aimé ça.

— Mais toi, oui ? demanda Papa avec espoir, lui prenant cette fois la main.

— Oh, oui. J'adore ça. Je n'arrive pas à m'imaginer vivre sans la magie. Ce devait être formidable de pouvoir l'utiliser à volonté...

— Tu ne l'utilises pas ? s'étonna son père. (Il fronça les sourcils, l'air préoccupé.) Lily, comment êtes-vous arrivées ici, au théâtre ? J'ai entendu des machinistes parler de tours de magie réalisés sur scène. Je me suis demandé si j'avais mal compris. Les spectacles de magie sont interdits, non ?

— Ce n'est pas de la vraie magie ! Ce sont juste des illusions très réussies. C'est Daniel qui prépare ces tours de prestidigitation – on l'appelle comme ça. Georgie et moi lui avons servi d'assistantes avant que Marten, l'horrible servante de Maman, ne nous retrouve. C'était une femme entièrement faite de sortilèges... mais je suppose que tu étais au courant.

— Nerissa a fabriqué une Créature ?

Le visage de son vrai père pâlit, et l'homme dans l'image se pencha en avant comme s'il voulait descendre du mur. La petite Georgie s'agrippa à son manteau, visiblement terrifiée à cette idée. Bébé Lily sourit et suça ses petits doigts.

— Je ne croyais pas qu'elle y arriverait... marmonna-t-il.

— Ça a dû se passer après ton... départ. Elle en a fabriqué au moins deux. Marten a disparu, mais il lui reste un horrible perroquet ; en tout cas, il avait cette apparence quand nous l'avons vu pour la dernière fois. Elle l'a emmené à New York.

Remarquant son étonnement, elle expliqua :

— Elle est allée là-bas pour essayer de convaincre d'autres magiciens de s'unir au complot contre la reine. Sur le paquebot, tout le monde détestait ce perroquet, mais personne n'a soupçonné qu'il était artificiel.

— Elle est donc plus puissante qu'avant. Elle a essayé si souvent d'en fabriquer une... Je détestais ça, mais elle était déterminée à y

parvenir. C'est une magie très, très ancienne...
Lily, tu me promets que ces tours que réalise
ton ami n'ont rien de surnaturel ?

Ses joues creuses s'empourprèrent, et l'homme
du mur toussota sur un ton d'excuse.

— Je sais que je n'ai pas le droit de te poser
ce genre de question. J'ai été absent trop longtemps. Mais l'idée qu'on puisse vous découvrir
et vous enfermer dans un endroit tel qu'Archgate m'est insupportable.

Il était sincère. Lily le sentait trembler près
d'elle, et ses doigts la serraient si fort qu'il lui
faisait presque mal.

— Je te le jure. Ses seules ressources sont
des cachettes secrètes, des grands gestes, et des
manœuvres adroites pour distraire le public et
l'empêcher de regarder au bon endroit.

— Il faut être parfaitement synchronisé, ajouta
Henrietta avec orgueil. J'avais un don naturel
pour ça. Maintenant, nous sommes trop connues
pour pouvoir retourner sur scène, mais Daniel n'a
trouvé personne pour me remplacer. Il y a eu des
articles sur nous dans les journaux, vous savez.

Lily posa la main sur celle, osseuse, de son
père.

— D'ailleurs, je suis sûre que tu pourrais souffler quelques bonnes idées à Daniel.

Voudrais-tu lui en parler ? Avec Peter, peut-être ? ajouta-t-elle hâtivement en remarquant le regard plein d'espoir de son ami.

Peter leva la tête avec enthousiasme, et Lily sourit. Elle avait aperçu des schémas dans son carnet : des croquis détaillés de nouvelles machines et d'engins électriques. Lily trouvait qu'ils ressemblaient un peu à des instruments de torture, mais elle ne l'aurait avoué pour rien au monde. De toute façon, c'était certainement moins dangereux qu'essayer d'attraper une balle tirée par un pistolet.

Les yeux de son père brillaient d'un éclat plus vif, et il parut même intrigué lorsque Lily attrapa le carnet de Peter et le plaça devant lui après avoir tourné les pages pour trouver les schémas. Le garçon poussa un petit gémissement horrifié, mais Papa le fit taire en levant une main, examina les dessins avec attention, et hocha la tête.

Puis il regarda à nouveau Lily et sourit. L'homme trop jeune sur le mur dit :

— Oui.

Et Lily crut entendre son véritable père chuchoter lui-même :

— Uiii...

DEUX

— Vous avez parlé ! aboya Henrietta en grimpant sur ses jambes pour pouvoir le fixer de ses yeux ronds et noirs. Votre voix va donc revenir ?

Lily n'avait pas osé lui poser la question. Elle supposait qu'on l'avait privé de sa voix par un moyen quelconque pour le rendre moins dangereux. Quelqu'un avait dû s'imaginer qu'il pourrait plus difficilement faire de la magie s'il ne pouvait plus prononcer les formules. C'était ridicule, bien sûr. Les non-magiciens ne comprenaient pas vraiment comment cela fonctionnait. Son père était très puissant : il pouvait tout à fait jeter un sort mentalement, ou à l'aide de quelques gestes ! Mais ce mutisme forcé l'avait visiblement affaibli.

— Un jour...

Tandis que l'homme sur le mur prononçait ces derniers mots, les deux fillettes agitaient la main pour saluer Lily : l'image était en train de s'évanouir.

— Bientôt, j'espère. Peut-être pourras-tu m'aider. À présent, il faut que je me repose.

Lily acquiesça et se leva pour le laisser tranquille. Se ravisant, elle revint en arrière pour l'embrasser sur la joue, et il s'illumina.

Reviens vite...

Lily ne savait pas vraiment comment il lui avait dit ces mots. Par télépathie ? Il lui avait parlé ainsi au milieu du tourbillon de magie qui avait accompagné leur évasion, mais elle n'avait pas envisagé qu'il puisse continuer ensuite. Ou bien ce murmure provenait-il des vestiges de l'image ? En tout cas, elle l'avait entendu.

Comment pouvons-nous l'aider ? écrivit Peter dans son carnet quand ils ressortirent dans le couloir. *Pourquoi ne peut-il pas parler ?*

Lily hésita. Cela lui faisait un drôle d'effet d'en discuter avec Peter, qui était muet, lui aussi. Lorsqu'il avait été abandonné sur l'île, les domestiques de Merrythought avaient essayé de lui faire dire d'où il venait, mais il ne pouvait pas parler, ni même entendre leur question. C'était probablement la raison pour laquelle sa famille n'avait pas voulu de lui. Son silence avait dû effrayer ses parents : ils avaient sans doute pensé qu'il serait plus à sa place sur cette île étrange peuplée de sorciers.

RÉPONDS ! écrivit-il en grosses lettres iné-gales – sa façon à lui de crier.

— On a dû lui jeter un sort, dit Lily en lui faisant face et en prenant soin de bien articu-ler. Un sort très étrange, à moins qu'il n'ait mal tourné. S'il peut encore créer des illusions comme il vient de le faire, cela signifie qu'il n'a pas perdu ses pouvoirs, en tout cas pas complètement. Et ce sortilège qui gardait sa porte était vraiment très malin... Pour qu'un maléfice agisse durablement sur lui, il faut qu'il soit vraiment puissant.

Peter hocha la tête, d'un air pensif, puis la prit par la main et la tira dans le couloir en direction de la scène. Il battit son autre main dans l'air comme une aile, et Lily l'approuva. Il avait raison : ils avaient besoin d'Argent. Le dragon avait côtoyé toutes sortes de magies oubliées. Il était bien possible qu'il connaisse un moyen de rendre sa voix à quelqu'un qui en avait été privé. Mais s'en souviendrait-il ? Lily ne pensait pas que son grand âge altérait sa mémoire, mais des siècles d'expériences et de souvenirs se mélangeaient dans son esprit ; parfois, il avait du mal à retrouver ce qu'il cherchait et à le démêler du reste.

Cependant, quand ils débouchèrent sur la scène, ils s'arrêtèrent net. Argent était là, bien sûr : il ne tenait pas dans les coulisses, donc il restait généralement posté à l'arrière de la scène comme un élément du décor. Quand on n'avait pas besoin de lui pour un numéro, un simple rideau le cachait à la vue du public, et quand le rideau était levé, il imitait à la perfection un automate : il levait sa tête avec des gestes réguliers et saccadés, et laissait sortir un mince filet de fumée continu par ses narines. Les décorateurs étaient très fiers de lui, et l'astiquaient quotidiennement. Un journal avait même publié une photo d'eux devant le dragon, et certains s'étaient vu offrir des sommes importantes par des compagnies théâtrales rivales qui souhaitaient connaître les secrets de sa fabrication. Heureusement, la capacité d'Argent de réduire en cendres les bavards, s'ajoutant à son charme naturel, avait fait taire les langues.

Le dragon n'était pas seul. Il somnolait sur le plancher, la tête posée sur ses pattes avant, comme un énorme chien. Ses yeux mi-clos observaient les trois femmes assises sur un coussin de velours qui avait été posé sur sa longue queue, à la manière d'un banc écailleux. La sœur de Lily, Georgie, était placée entre la princesse Jane et Rose, la vieille magicienne qu'elles avaient ramenée de New York. Autrefois, elle avait été une des magiciennes les plus puissantes du pays : elle descendait directement de la lignée des Fell, à laquelle Lily, Georgie et leur père étaient également apparentés de loin.

Lily et Peter firent la moue. Georgie, Jane et Rose cousaient. Quelle activité inintéressante ! Jane n'allait presque nulle part sans la corbeille qui contenait sa broderie raffinée : c'était la seule chose qu'elle avait emportée quand les filles l'avaient fait évader de l'institut Fell. Georgie et Rose confectionnaient une robe, très simple, donc probablement destinée à Georgie, ou à Lily elle-même : les costumes du théâtre étaient toujours couverts de plumes ou de paillettes, et jamais, au grand jamais, de cette couleur grise passe-partout.

— Encore l'aiguille à la main, grommela Henrietta à voix basse. Quel gâchis.

Le compagnon de Rose, un grand chat blanc nommé Gustavus, leva les yeux vers la chienne et bâilla, montrant presque autant de dents que le dragon, quoique plus petites.

— Quel malpoli ! grogna la petite chienne.

Elle était très jalouse de Gus, qui était un familier – un animal magique – depuis beaucoup plus longtemps qu'elle, et ne manquait jamais une occasion de le lui faire remarquer.

— Tout va bien ? s'étonna Georgie en constatant l'agacement de sa sœur.

— Oui. Nous voulions parler à Argent. Mais au fond, Rose... (Lily avait du mal à s'habituer à l'appeler ainsi : la magicienne était si célèbre !) Peut-être connaissez-vous la réponse.

Après tout, c'était dans ce but qu'elles étaient allées jusqu'en Amérique la chercher. Elles voulaient qu'elle les aide à sauver son père ; non seulement pour lui-même, mais aussi pour Georgie.

Lily étudia sa sœur d'un œil critique. Georgie, qui alignait des petits points délicats sur le tissu gris, était plus pâle et maigre que jamais. Depuis qu'elles avaient rencontré leur mère sur le paquebot, et ensuite à New York, les maléfices que celle-ci avait implantés en Georgie commençaient à se réveiller. Lily soupçonnait Georgie de devoir les combattre en permanence, à présent, même si elle n'en avait pas forcément conscience : la magie noire faisait partie de sa sœur depuis si longtemps qu'elle avait pris l'habitude de l'enfermer au plus profond d'elle-même sans y penser.

En conséquence, elle ne pouvait plus utiliser ses propres pouvoirs sans libérer ces maléfices. Elle avait fait appel à eux une ou deux fois, en dernier recours, mais c'était de plus en plus difficile de les refouler à nouveau, ensuite. À New York, lorsque les filles s'étaient trouvées si près de leur mère, ils avaient failli vaincre Georgie, et elle était sortie de cette lutte affaiblie et nauséeuse.

Lily était convaincue que leur père pouvait mettre fin à cette possession. Après tout, c'était son épouse qui en était à l'origine. Et Georgie était sa fille. Il saurait certainement comment s'y prendre. Mais seulement s'il recouvrait sa santé, à commencer par sa voix.

— C'est au sujet de Papa, commença Lily.

— Va-t-il mieux ? demanda Georgie. Je suis allée le voir ce matin... Enfin, il me semble...

— Il va assez bien pour protéger sa porte par un sortilège compliqué. Tu avais probablement l'intention de lui rendre visite, mais au moment d'entrer, tu t'es rappelé que tu avais quelque chose de plus important à faire... Ce qui est bizarre, c'est que ça n'a pas empêché Peter d'entrer. (Elle lui effleura le bras pour lui

41

montrer qu'elle parlait de lui.) Je me demande si ce qu'il a subi à l'institut ne l'a pas en partie immunisé contre la magie.

— C'est possible, murmura Argent en levant la tête.

Il renifla Peter avec curiosité. Le garçon se tint bien droit, et essaya de faire comme si être ainsi flairé par un gigantesque animal légendaire n'avait rien d'effrayant.

— Hum, intéressant... Assieds-toi, mon garçon, que je puisse t'examiner correctement.

— Assieds-toi, répéta Lily. Sur sa patte, regarde.

Argent n'ayant pas de lèvres, Peter ne pouvait pas lire leur mouvement afin de comprendre ce qu'il disait. Lily poussa Peter plus près du dragon. Son ami lui jeta un regard inquiet, mais il obtempéra, quoique avec réticence, et s'installa sur la patte avant d'Argent afin que ce dernier puisse l'étudier sous tous les angles.

— Que voulais-tu dire au sujet de Papa ? demanda Georgie avec impatience. Que s'est-il passé, Lily ?

— Il a recommencé à parler. Enfin non, pas vraiment : il a fait apparaître des images parlantes sur le mur de sa chambre. Mais j'ai cru entendre sa vraie voix. Et je l'ai entendue dans ma tête, j'en suis certaine. Je suis convaincue qu'il pourra reparler un jour. Si nous pouvions l'y aider, il se rétablirait sans doute plus vite. Et ensuite...

Elle baissa la tête pour ne pas regarder Georgie avec trop d'espoir, mais celle-ci comprit son allusion et murmura, les yeux rivés sur son ouvrage :

— Les maléfices sont de plus en plus forts. Je pense que Maman est en train de revenir d'Amérique. Ils sentent qu'elle approche. Et puis il y a les autres conspirateurs. Les jumelles Dysart, et les autres enfants qui ont reçu le même apprentissage. Je... C'est étrange, mais parfois, je ressens le désir d'aller à leur recherche...

— Tu vois bien que nous n'avons pas beaucoup de temps si nous voulons te délivrer avant que ces maléfices agissent. Il faut que Papa guérisse !

— Nous avons donc besoin de briser l'enchantement qui a enchaîné sa langue... réfléchit Rose. Et ce doit être un enchantement puissant, pour faire effet sur un homme comme votre père.

Devant l'étonnement de Lily, elle sourit :

— Je le connaissais, autrefois, quand il n'était encore qu'un étudiant. Très prometteur, quoiqu'un peu...

— Quoi ? demandèrent ensemble Lily et Georgie, avec curiosité.

Rose haussa légèrement les épaules :

— Juste un tout petit peu... collet monté ?

Gus ricana. Rose soupira et développa :

— Il avait des principes assez rigides. Beaucoup de gens furent surpris quand il épousa Nerissa. Certes, il était visiblement très amoureux d'elle, mais malgré tout, ils étaient très différents. Déjà à l'époque, votre mère était réputée ne pas craindre de... (Elle chercha une formule polie.) Disons, de s'intéresser aux formes les moins plaisantes de la magie.

— Il a refusé de renoncer à ses pouvoirs, rappela fièrement Lily. Il était peut-être « collet monté », mais il est resté fidèle à lui-même... et du coup, il nous a laissées seules avec Maman, conclut-elle avec un soupir.

La magicienne hocha la tête.

— Je sais. Pauvre homme. Il ne savait pas. Ou peut-être ne voulait-il pas savoir.

— Bref, savez-vous comment on peut le guérir ? reprit Lily en regardant tour à tour Rose et Argent.

— L'eau et le feu, grogna Argent, qui n'écoutait qu'à moitié et continuait à observer Peter sous toutes les coutures, fasciné.

— Pardon ?

Argent cligna des yeux.

— L'eau et le feu annulent la plupart des sortilèges, quand ils sont utilisés correctement.

Rose hochait la tête, mais Lily avait du mal à croire à un expédient aussi simple.

— Vraiment ? N'importe quelle eau, et n'importe quel feu ? Et que faut-il en faire ? Cela ne va pas lui faire mal, au moins ? s'inquiéta-t-elle, songeant que les dragons redoutaient bien moins le feu que les humains.

Argent fit tourner une dernière fois sa tête autour de Peter.

— Dis à ton ami qu'il a beaucoup de chance, Lily. Je ne suis pas certain de ce que j'avance, mais il semblerait que la manière dont il a entraîné son esprit et a appris à *voir* les mots explique pourquoi les sortilèges de l'institut Fell ont eu beaucoup plus d'effet sur lui que sur n'importe qui d'autre. Mais à présent qu'il a combattu ces sortilèges et qu'il les a vaincus, il faudrait vraiment une forte dose de magie pour en venir à bout... Passionnant !

Il attendit que Lily répète son explication à Peter, puis accorda toute son attention à la question qu'elle avait posée.

— Pas n'importe quel feu, non. Un feu magique, Lily. Créé par un sortilège très complexe et terriblement difficile.

Il baissa la tête jusqu'à son niveau. Il était secoué de frisson, et des petits nuages de fumée jaillissaient de ses narines. C'était très étrange à voir, mais Lily aurait juré qu'il riait.

— Ou alors, tu pourrais juste me le demander gentiment...

— Ton feu pourrait briser l'enchantement ?

Ravie, Lily entoura spontanément son museau de ses bras et l'embrassa, avant de se ressaisir et de reculer avec effroi.

— Oh ! Je suis désolée...

— Pas grave, pas grave. (Encore une fois, c'était difficile à dire, car les expressions du dragon étaient très différentes de celles des humains, mais il avait l'air plutôt content.) Les dragons absorbent la magie, de toutes sortes de façons. Nous sommes doués pour venir à bout des sortilèges, aussi puissants soient-ils.

— Et l'eau ? demanda Georgie. Il faut qu'elle soit spéciale, elle aussi ?

— Oui. Cela dépend de l'enchantement à combattre, et de la personne ensorcelée.

Il posa sa tête sur sa patte avant pour méditer, et donna une légère bourrade à Peter, ce qui faillit faire perdre l'équilibre au garçon.

— Lily, dis-lui de gratter mes écailles, juste là, devant son bras. Ça m'aide à réfléchir.

— Il aimerait que tu le grattes, glissa Lily à Peter.

Peter haussa les sourcils, mais obéit.

— Aaah. Merci. Très agréable. Pour votre père, je propose d'utiliser de l'eau de mer provenant de la côte près de sa maison natale, sur l'île.

— Nous devons retourner à Merrythought ? s'affola Georgie.

— C'est juste une suggestion. On peut chercher autre chose.

— J'ai une autre idée... lança Rose. À l'époque où j'ai connu votre père, encore étudiant, il vivait dans une pension. Un étrange immeuble rectangulaire construit autour d'une cour pavée au centre de laquelle se trouvait une fontaine. Ça s'appelait Fountain Court, et c'était quelque part entre ici et le palais. La cour était toujours pleine de magiciens. La fontaine changeait de couleur au moins une fois par semaine, ou crachait de la bière, ou des poissons... Existe-t-elle encore ? demanda-t-elle en s'adressant à Daniel, qui était venu sur scène pour diriger les décorateurs en train d'accrocher une nouvelle toile de fond.

— Fountain Court ? Ce n'est pas un endroit où j'aimerais vivre, mais il existe encore. Après le Décret, il a été déserté par les magiciens. Habiter là-bas revenait à clamer qu'on pratiquait la magie...

— Et qui est allé y vivre, à la place ? l'interrogea Georgie.

— Des gens dont des jeunes filles bien élevées n'ont pas besoin d'entendre parler, intervint la princesse sur un ton décidé.

Lily soupira. Elle aurait bien voulu en entendre parler, pourtant, mais il fallait reconnaître qu'elle n'avait pas été « élevée » du tout.

— Parfait, approuva Argent. Il faut que vous y alliez toutes les deux, et que ce soit vous qui rapportiez l'eau. C'est important.

Daniel tira une vieille enveloppe de la poche de sa veste et entreprit de tracer un plan, mais Lily dévisagea sa sœur avec anxiété. Georgie n'aimait pas sortir du théâtre, où elle se sentait en sécurité. Et elle n'avait pas complètement tort : chaque fois qu'elle le faisait, ou presque, elles étaient prises en chasse par quelqu'un.

— Maman est encore en Amérique, Georgie. Ou peut-être sur un bateau, mais elle ne peut pas encore être rentrée à Londres.

Georgie répondit par un rire fragile et coupant comme du verre.

— Nous ne sommes donc recherchées que par les Hommes de la reine, et peut-être par les jumelles Dysart.

— C'est vrai... admit Lily.

Cora et Penelope Dysart étaient les voisines de leur tante maternelle, Lady Clara. Celle-ci avait rencontré ses nièces au théâtre et les avait reconnues à cause de leur ressemblance avec leur mère. Choquée par la vie qu'elles menaient, et terrifiée à l'idée que quelqu'un fasse le lien avec elle et découvre ainsi qu'elle provenait d'une famille de magiciens, elle les avait emmenées vivre chez elle. Lady Clara répétait depuis si longtemps qu'elle avait renoncé à la magie qu'elle avait fini par y croire elle-même, en dépit des innombrables charmes grâce auxquels elle faisait friser ses cheveux ou rougir ses lèvres.

Lady Clara manœuvrait depuis longtemps pour faire la connaissance de son voisin,

Jonathan Dysart, un des plus proches conseillers de la reine. Elle espérait que cela l'installerait définitivement dans la haute société. Elle avait donc profité de la présence de Lily et Georgie pour inviter les jumelles Dysart à prendre le thé.

Il avait fallu moins d'une minute pour que les quatre filles se reconnaissent mutuellement pour ce qu'elles étaient, et à peine plus pour que les Dysart commencent à comploter contre ces rivales. C'étaient elles qui avaient dénoncé Lily et Georgie et les avaient fait envoyer à l'institut Fell. Jonathan Dysart n'avait pas eu le choix : il travaillait depuis des années à consolider sa position de conseiller, de manière à pouvoir renverser un jour la reine et sa famille et faire revenir la magie au pouvoir.

— Je peux essayer d'y aller toute seule, proposa Lily.

Georgie se leva et laissa tomber la robe grise à ses pieds.

— Merci, mais je ne suis pas encore complètement inutile, quoi qu'en dise ce chien ! répliqua-t-elle sèchement.

Henrietta la regarda avec des yeux encore plus ronds que d'habitude.

— Mais je n'ai rien dit !

— Tu allais le faire. Viens, Lily.

Georgie alla chercher son manteau, suivie des yeux par une Henrietta aussi surprise qu'offensée. Lily la consola :

— Peut-être que les maléfices la mettent de mauvaise humeur... Argent, avons-nous besoin de quelque chose ? Des instruments particuliers ?

— Les instruments, c'est vous. Ses propres filles. Dites quelques mots en arrivant devant la fontaine, c'est tout. Expliquez à la magie pourquoi vous en avez besoin. Ah, et une bouteille pourrait vous être utile...

Daniel entra dans les coulisses et revint avec une demi-douzaine de bouteilles de bière en terre cuite. Il se plaignait toujours que les machinistes les laissent traîner dans tous les coins.

— Celles-ci peuvent convenir ?

— Une seule suffira ! s'amusa Argent. Mmm, ça sent bon. Une odeur forte, sucrée, épicée... Qu'y avait-il dedans ?

Lily laissa Rose expliquer ce qu'était la bière au dragon et à la princesse, qui n'y avait jamais goûté, car cela faisait partie de ce qu'on ne trouvait pas facilement dans un palais. Elle courut derrière Georgie qui l'attendait à côté de l'entrée des artistes. Celle-ci donnait sur une petite impasse sombre à l'arrière du théâtre, très différente de la rue élégante devant la façade en pierre.

— Faites bien attention, d'accord ? leur recommanda Daniel en se penchant par la porte derrière elles. Ce n'est pas un quartier très chic. Vous êtes sûres que vous ne voulez pas que je vous accompagne ?

Georgie eut l'air tentée, mais Lily secoua la tête.

— Je pense que nous devons y aller seules. Nous sommes les instruments, comme dit Argent.

— Bon, d'accord. Mais si vous n'êtes pas de retour dans une heure, je viens vous chercher. Et surveillez bien vos poches !

— A-t-il oublié que j'étais là, moi ? grommela Henrietta tandis qu'elles remontaient l'impasse. Je voudrais bien voir un pickpocket s'en prendre à moi...

— Les chiens n'ont pas de poches, fit remarquer Lily avec un petit rire hystérique.

Le carlin la regarda froidement.

— Tu ne devrais pas essayer de plaisanter, Lily, ça ne te réussit pas. Tout le monde n'a pas un don naturel pour la comédie.

— Chut ! les fit taire Georgie en prenant le plan des mains de Lily. Venez. Je veux juste me dépêcher d'y aller et d'en revenir.

Elles se trouvaient à présent dans la rue principale. Lily passa un bras autour des épaules de sa sœur, qui se recroquevillait chaque fois qu'elles croisaient quelqu'un.

— Personne ne peut deviner ce que nous sommes, lui chuchota-t-elle pour l'encourager.

— J'ai l'impression que si. Les maléfices hurlent dans ma tête, Lily, si fort que je me dis que tout le monde doit les entendre.

Elle se serra contre Lily au passage d'un homme à cheval. Son uniforme noir contrastait avec la blancheur immaculée de son cheval, et beaucoup de passants le suivirent du regard avec colère. Un vieil homme dans une redingote élégante agita même sa canne argentée quand le cheval éclaboussa ses chaussures de boue.

— Tu as vu ? Il n'y a pas que nous qui craignons les Hommes de la reine, Georgie. La plupart des gens ne les aiment pas. Et maintenant, ils osent le dire. Je suis certaine que c'est nouveau, et que l'atmosphère a changé, y compris en deux mois, depuis que nous sommes arrivées à Londres. Les Hommes de la reine sont trop sévères, et par contrecoup, tout le monde se rappelle l'ancien temps avec nostalgie.

Elle soupira en repensant à la ville d'autrefois, telle que son père la lui avait décrite. Comment les gens n'auraient-ils pas eu envie de retrouver ce sentiment que la magie les guettait au détour du chemin ?

— Je crois quand même qu'ils nous dénonceraient s'ils savaient qui nous sommes, objecta Georgie qui jetait à droite et à gauche des regards de bête traquée. Ne dis pas un mot, Henrietta. Oh, là-bas, cette dame nous regarde !

— Mais non. Elle cherche un magasin, c'est tout. Tu vois ? Le marchand de chapeaux. Arrête de t'inquiéter. C'est ici qu'il faut tourner, non ?

Elles sortirent peu à peu du quartier élégant de la ville, avec ses magasins luxueux et ses théâtres, et s'enfoncèrent dans des rues étroites et sombres. Les immeubles étaient plus vieux, plus petits, et nettement plus sales. Henrietta aboya contre un rat qui détala sous leurs pieds et disparut derrière un tas de détritus à côté d'une porte. Elle recula, surprise, quand le rat ressortit la tête de sa cachette pour couiner contre elle avant de se retourner, agitant son horrible queue striée sous les ordures.

— Quel endroit horrible, chuchota Georgie. C'est encore loin, Lily ?

— Ce devrait être tout près, répondit Lily en étudiant le plan. C'est difficile à dire, vu que les noms des rues ne sont pas affichés... Mais nous devrions bientôt voir la fontaine.

— Si tant est qu'elle soit encore là, objecta Henrietta. Oh, arrête de t'inquiéter, Georgie : personne ne peut m'entendre !

— Daniel nous a dit qu'elle y était toujours. Nous devons chercher une auberge avec un poisson sur l'enseigne... Oh, là, regardez !

Au-dessus d'elle, une enseigne se balançait en grinçant de manière sinistre, accrochée à un bâtiment bringuebalant. Il était en effet possible qu'un poisson y ait figuré autrefois, même si on n'y distinguait plus guère qu'une vague trace argentée.

— Tu crois que c'est ça ?

— Oui. Et voici la cour !

Lily éprouva un vif soulagement. Les maisons qui l'entouraient étaient si délabrées qu'elle n'aurait pas été étonnée que Fountain Court se soit effondrée depuis que Daniel y était venu pour la dernière fois.

— Eh, regardez ces filles ! lança une voix.

Lily aperçut alors un groupe de petits enfants qui jouaient à chat autour du bassin en pierre au centre de la cour.

— Mazette, qu'elles sont chics ! se moqua un autre.

Lily baissa les yeux sur sa tenue, surprise. Elle ne portait qu'une robe que Georgie avait confectionnée à partir d'un vieux costume du théâtre, et n'avait même pas pris le temps d'enfiler un manteau, même si Georgie lui avait rapporté son chapeau et ses gants en même temps que les siens. À force de côtoyer la princesse, et surtout Maria, la costumière du théâtre, Georgie avait acquis des notions très strictes sur ce que des demoiselles devaient porter pour sortir. Les gants étaient indispensables.

Or, les enfants autour de la fontaine n'en avaient sûrement jamais eu. Ils étaient vêtus de haillons, et le plus petit, presque un bébé, ne portait qu'une sorte de châle enroulé autour de la taille.

— Superbe, renchérit la plus âgée avec dédain. Qu'est-ce que vous faites ici ? Si vous êtes venues prêcher, ça ne nous intéresse pas. Sauf si vous avez à manger. Je veux bien prier, si on peut manger après. Ou mieux encore, avant...

Elle ricana, et les autres aussi. Lily hésita avant de répondre. Elle n'avait pas envisagé qu'il puisse y avoir d'autres gens autour de la fontaine. Comment allaient-elles expliquer pourquoi elles avaient besoin de cette eau ?

— Non, nous ne sommes pas venues prêcher.

— Dans ce cas, qu'est-ce que vous voulez ? demanda la fille en faisant descendre le petit garçon du rebord du bassin avant qu'il ne tombe dedans.

Lily prit une inspiration profonde, et fit bouillonner la magie en elle pour se donner du courage. De plus en plus d'enfants sortaient par les portes donnant sur la cour et rejoignaient le groupe, et il y avait même quelques mères qui les regardaient de travers. Elle serra dans ses mains la bouteille en terre cuite et se concentra sur son but : guérir leur père.

— De l'eau. Nous voulons juste un peu d'eau, expliqua-t-elle d'une voix enrouée.

Elle se força à faire un pas en direction de la fontaine. Henrietta resta collée à sa jambe, petit corps chaud et solide qui la poussait en avant.

— De l'eau ? D'ici ? s'esclaffa avec mépris la fille, imitée par les autres. Vous êtes idiotes ? Regardez !

Elle recula un peu et laissa Lily et Georgie contempler la fontaine en entier. Lily poussa une exclamation désolée.

La fontaine était toujours là, ornée en son centre d'une statue représentant un enfant qui renversait l'eau d'un récipient. Peut-être une statue magique, puisque cet immeuble était autrefois un repaire de magiciens. Mais dans le bassin ne coulait plus la moindre goutte de liquide, et la statue détériorée paraissait aveugle et triste.

— Oh, non ! cria Georgie bondissant en avant et poussant leur interlocutrice hors de son chemin. Non, nous en avons besoin !

— Eh !

La fille fut si étonnée que cette demoiselle timide ose la bousculer qu'elle hésita un instant. Et soudain, un de ses compagnons la tira en arrière et pointa Georgie du doigt.

— Regardez !

— Non, Georgie ! supplia Lily.

Mais c'était trop tard : sa sœur ne pouvait déjà plus l'entendre. Lily la vit tomber à genoux contre le bassin, un bras plongé là où il aurait dû y avoir de l'eau.

Et soudain, il y en eut. L'eau sembla affluer vers la fontaine, venue de nulle part, de l'air, des environs, comme si la magie de Georgie avait attiré toute celle que contenaient les seaux, les puits, ou les verres en cristal fragile. Les gouttes traversèrent le ciel en scintillant comme de minuscules diamants. On aurait dit de la pluie, mais qui coulait à l'horizontale, et même à l'envers : elle jaillissait d'entre les pavés, entraînant avec elles de minces brins d'herbe et des fleurs sauvages qui se mirent à pousser autour de la fontaine.

Les plus jeunes se mirent à rire, et une des fillettes tendit les bras pour attirer un grand nombre de gouttes sur sa veste sale, ce qui la fit étinceler comme une princesse du caniveau.

— C'est une magicienne ! s'écria un garçon en jetant un coup d'œil en biais en direction de la rue. Une sorcière... On devrait aller le dire.

— Oh, non, je vous en prie ! supplia Lily en se tournant vers la chef du groupe. Ne nous dénoncez pas. Nous voulons juste un peu d'eau, et ensuite nous partirons. Ne nous faites pas de mal !

— L'eau va rester ? demanda la fille en désignant la fontaine, qui coulait à présent normalement.

— Je pense que oui. Elle n'a pas l'air de vouloir s'arrêter, pas vrai ?

Lily s'agenouilla à côté de Georgie, qui avait perdu connaissance. Elle s'inquiétait bien plus de savoir si la *magie* allait s'arrêter. Sa sœur la maîtrisait si mal... Récemment encore, Georgie avait fait apparaître un énorme loup qui avait failli les dévorer.

— Vous devriez ôter les pierres dans le bassin, ajouta-t-elle. Ma sœur n'a pas l'esprit très pratique. Je doute qu'elle ait pensé à dégager le tuyau d'écoulement.

La fille poussa deux garçons vers la fontaine :

— Vous avez entendu. Au travail !

Elle revint ensuite près de Georgie, à qui Lily tapotait les joues :

— Elle va bien ?

— Non. Non, elle ne va pas bien. Sa magie a été dénaturée. C'est pour ça que nous avons besoin de cette eau : pour la guérir. Oh, Georgie, réveille-toi. Je t'en prie !

Elle tendit la main vers la fontaine et éclaboussa sa sœur. L'eau coula le long des joues pâles de Georgie, et Lily se lécha les doigts, réfléchissant.

— Elle est bonne. Très pure...

Par sécurité, elle en tendit une goutte à Henrietta, qui l'avala, puis hocha la tête joyeusement et posa ses pattes avant sur le bassin en tendant la langue vers l'eau.

Aussitôt, plusieurs enfants vinrent remplir leurs mains jointes en coupe, comme s'ils avaient eu besoin de voir Lily et sa chienne boire avant de se convaincre que le liquide n'allait pas se changer en quelque chose d'horrible.

La grande fille tendit les mains, et approcha l'eau du petit garçon pour lui donner à boire. Il se désaltéra avec avidité, puis tendit ses propres mains pour en réclamer davantage.

— Merci, marmonna la fille à Lily. Tu veux qu'on la porte quelque part ? Nous pourrions aller l'étendre chez nous.

— Non, regarde...

L'eau dont Lily avait éclaboussé le visage de Georgie avait coulé jusqu'à sa bouche ; juste une goutte, mais ses lèvres pâles avaient repris des couleurs.

— Donne-lui-en encore, suggéra la fille, qui tendit la main vers la fontaine et lui offrit l'eau recueillie.

Lily accepta, et la fille fit couler l'eau lentement dans la bouche de Georgie. Ce remède fut efficace : cette dernière se lécha les lèvres. La fille se releva.

— Personne ne vous dénoncera. Aucune fontaine ne fonctionne, dans le quartier : il faut aller à deux rues d'ici. Et là-bas, l'eau n'est pas aussi bonne... Regarde, elle ouvre les yeux.

Lily s'aperçut qu'elle avait raison. Georgie les regardait, encore un peu étourdie. Lily l'étreignit avec force.

— Regarde ce que tu as fait ! lui lança-t-elle, mi-admirative, mi-réprobatrice.

— Oh... fit Georgie en voyant le soleil se refléter sur l'eau. Je ne... Il ne s'est rien passé de grave ?

— Pas encore, murmura Henrietta discrètement, à ses pieds.

— Non, confirma Lily. Tiens, prends la bouteille. Je pense que c'est toi qui dois la remplir.

Georgie alla tenir la bouteille de bière sous la fontaine, et Lily entendit le liquide gargouiller et glouglouter. On aurait dit que l'eau riait.

TROIS

Vous avez fait ça pour moi ? écrivit le père de Lily et Georgie, tout sourire, en caressant la bouteille de sa main libre.

— C'est Georgie qui a fait revenir l'eau, précisa Lily. Grâce à elle, la fontaine fonctionne à nouveau, et elle est magnifique.

Je le sens. L'eau est pleine de soleil.

Ses lettres étaient irrégulières, avec des boucles et des jambages mal formés : cela faisait si longtemps qu'il n'avait pas eu l'occasion d'écrire ! Lily se demanda s'il arriverait la même chose à sa voix, quand elle reviendrait.

Tout va bien, Georgie ? s'inquiéta-t-il ensuite. *La magie ne t'a pas fait de mal ?*

Georgie regarda ses mains, comme si elle avait du mal à croire que c'étaient bien les siennes.

— Non. Peut-être était-elle contente d'être libérée... Mais ça a été difficile de me réveiller.

Je me rendais compte que Lily m'appelait, et que les enfants me regardaient, mais les maléfices me retenaient enchaînée.

— C'est l'eau qui t'a rappelée, indiqua Lily en désignant la bouteille, qui semblait presque irradier dans la petite pièce sombre, et qui diffusait une odeur agréable dans l'air.

C'est bon signe, écrivit leur père.

Lily acquiesça. Signe de quoi ? Elle ne le savait pas vraiment, mais quoi qu'il en soit, elle était contente. Cela faisait si longtemps qu'elles poursuivaient leur objectif ! De Merrythought, elles étaient allées à Londres, puis dans le Derbyshire, puis de nouveau à Londres, et ensuite jusqu'à New York pour solliciter l'aide de Rose. À chaque nouvelle étape, alors qu'elles se croyaient un peu plus proches du but, elles découvraient soudain un long chemin qui s'ouvrait devant elles. Il était temps qu'elles arrivent quelque part. Elles avaient fait tant d'efforts !

— Peux-tu te lever ? demanda-t-elle avec espoir à son père. As-tu assez de force ? Argent, le dragon, est prêt à nous fournir le feu pour annuler l'enchantement, mais il ne peut pas se faufiler ici.

Papa repoussa les couvertures et posa lentement les pieds par terre. Il portait encore la chemise et le pantalon en loques dans lesquels il était arrivé, deux jours plus tôt. Il les toucha et adressa à ses filles un regard mi-désolé, mi-amusé. Lily lui rendit son sourire, le cœur plein de joie. C'était presque une plaisanterie, comme celles qu'elle aurait pu partager avec Georgie ou Henrietta : « Regardez-moi ces haillons ! » Une douce taquinerie. Et leur père avait été séparé d'elles pendant si longtemps que ces moments devenaient particulièrement précieux.

Georgie prit un air triomphant et posa sur le lit près de lui le paquet qu'elle avait apporté.

— C'est pour toi. J'ai demandé à une des aides costumières d'aller l'acheter. Ça vient d'une friperie, admit-elle, soudain embarrassée. C'est un peu vieux, et les couleurs sont passées, mais j'ai raccommodé les trous...

Il lui sourit et lui caressa la joue avant d'ouvrir le paquet, qui contenait une robe de chambre. Un vêtement d'intérieur autrefois très élégant, en brocart rouge sombre avec des revers de satin ; à présent, cependant, la teinte se rapprochait plus d'un rose fané, et le tissu était imprégné d'une vague odeur de cigare. Papa se leva, un peu flageolant, et l'enfila. Les lourds replis l'enveloppèrent comme une tunique. Sans sa chemise grise déchirée, il avait l'air plus fort, et plus jeune.

Il rit de bonheur en attachant la ceinture de corde autour de sa taille, les bras cachés par les longues manches. Après avoir placé le petit carnet donné par Peter et le crayon dans une poche, il tendit les mains aux deux sœurs.

Lily glissa sa main dans la sienne. Elle sentit ses doigts osseux et sa peau sèche et fine, celle d'un prisonnier enfermé loin du soleil. Son père la serra doucement et lui sourit, comme s'il devinait ce qu'elle pensait. Lily se blottit contre lui. C'était si agréable d'être plus petite, d'avoir un père, d'être sous la responsabilité de quelqu'un, même si ce quelqu'un était malade et ne pouvait pas lui parler !

Lily et Georgie le conduisirent lentement à travers les couloirs jusqu'à la scène. Une fois là, il cligna des yeux avec une certaine nervosité. Lily était désormais si habituée à ce lieu plein d'animation qu'elle dut faire un effort pour le voir comme il le voyait lui-même. Des gens allaient et venaient, portant des vêtements, des cordes, des pots de peinture. Des jongleurs se disputaient sous les lampes à gaz. Henrietta grognait contre le caniche savant que Daniel avait eu la sotte idée d'acquérir. Et bien sûr, un dragon somnolait contre le mur. Il ouvrit un œil énorme quand ils arrivèrent.

— Alors, vous l'avez trouvée ?

Peter et Daniel, qui étaient occupés à repeindre une cabine à double fond, se retournèrent vivement et s'approchèrent avec un soulagement visible. Lily montra triomphalement la bouteille qui pesait dans la poche de son père.

— Oui, grâce à Georgie. C'est une eau merveilleuse, délicieuse, et si claire ! Je sais que l'eau est toujours limpide, mais celle-ci scintille... Je suis sûre que c'est ce qu'il nous faut.

Son père leur lâcha les mains, chancela un instant avant de retrouver son équilibre, puis sortit la bouteille de sa poche et la présenta au dragon. Argent tendit une énorme patte et la tourna vers le haut pour qu'il puisse poser la bouteille entre ses griffes.

— Mmm, murmura-t-il avec délice. Je le sens. Elle est presque vivante.

Il ferma les yeux pendant un moment, puis les rouvrit :

— Voilà, elle arrive.

— Qui ? Rose ? Tu peux l'appeler comme ça ?

— Bien sûr. C'est une Fell, Lily. Et tu sais très bien que je peux, je l'ai fait avec toi à l'institut, quand j'avais besoin de ton aide pour me réveiller ! Je t'ai déjà dit qu'il y a du sang Fell en vous. Assez peu, mais suffisamment pour nous lier les uns aux autres.

Rose arriva d'un pas rapide sur la scène. Gus entourait ses épaules à la manière d'une écharpe de fourrure.

— Qui m'a... ? J'ai entendu quelqu'un. C'était toi, Argent, n'est-ce pas ? Tu pourrais être un peu plus poli !

Argent baissa la tête et ferma à demi les yeux pour la regarder.

— Je suis désolé. J'ai perdu l'habitude... Je serai moins brusque la prochaine fois, promis.

Gus descendit d'un bond, la mine hautaine.

— Je l'espère bien. Je t'ai entendu, moi aussi, et les chats ne répondent pas à un simple « Venez ! ». Je ne suis pas un chien, Dieu merci.

Henrietta retroussa les babines, et Lily s'accroupit près d'elle.

— Ignore-le. Tu sais bien qu'il te provoque exprès.

— Bien sûr que je le sais. Mais ça ne le rend pas plus facile à supporter !

Le dragon fit tambouriner ses griffes contre le plancher et fixa intensément la bouteille. Le bouchon se mit à tourner doucement, puis tomba par terre. Lily crut voir une lueur émaner de l'eau, et entendre un frémissement dans le récipient.

— Que faut-il faire ? chuchota-t-elle.

Elle n'avait jamais pris part à un rituel aussi complexe, encore moins en compagnie d'autres magiciens.

— Ma chère Rose, dit le dragon, je suppose que vous connaissez la marche à suivre ? Je vous serais très reconnaissant de bien vouloir m'apprendre si celle-ci a changé depuis mon époque.

Lily sourit en l'entendant utiliser un langage particulièrement fleuri pour compenser son impolitesse.

— Oui, je la connais, confirma Rose, même si je n'ai jamais utilisé de feu de dragon, bien sûr. Il fallait purifier les flammes avec des épices et un peu de poudre de salamandre, même si je n'ai jamais été convaincue que ce dernier élément ait été indispensable. Les salamandres coûtaient très cher, et sentaient mauvais. Je suis persuadée que les ingrédients les plus étranges n'étaient utilisés que pour enrichir les marchands...

— Avec mon feu, ce ne sera pas nécessaire. Continuez, je vous prie.

Lily retenait sa respiration. Elle ne pouvait s'empêcher de s'inquiéter. Le procédé serait-il indolore pour son père ? Se faire désenchanter par un dragon ne semblait pas exempt de danger...

Rose tourna autour de Papa en l'examinant, pensive, comme si c'était un projet intéressant.

— Eh bien, puisqu'il nous faut faire revenir quelque chose qui lui a été ôté, je pense que nous devrions instiller le feu dans l'eau, et la lui faire boire. Cela semble d'autant plus approprié que c'est sa voix qui a été volée. Qu'en pensez-vous ?

— On ne peut pas mettre du feu dans l'eau, objecta Daniel, perplexe. J'ai essayé, de plusieurs façons : ce serait un tour vraiment spectaculaire ! Mais c'est impossible. Tout ce qu'on peut faire, c'est enflammer de l'huile qui flotte sur l'eau, mais comment pourrait-il la boire ensuite ? À une époque, nous avions un cracheur de feu dans la troupe, et croyez-moi, il s'entraînait sans cesse, sans que les résultats soient vraiment probants, d'ailleurs.

Lily grimaça. Boire du feu était précisément le genre d'idées effrayantes qui lui avaient traversé l'esprit.

— Un feu magique, murmura Georgie. Maman m'a donné des leçons à ce sujet. On peut lui donner une forme liquide. Pour... pour faire des choses horribles.

Elle frissonna, encore plus pâle que d'habitude sous les lumières vives de la rampe. Lily la vit avaler sa salive, les poings serrés, comme si elle ravalait les maléfices qui voulaient sortir d'elle.

Lily serra les poings, elle aussi, et combattit son angoisse. Ils devaient impérativement guérir Georgie. Il était hors de question de la laisser devenir une arme mortelle dans les mains de leur mère.

— À moins que le feu de dragon ne soit différent ?

— Bien sûr, confirma Argent. La formule n'a pas changé, Rose ? « Délivre-moi, libère-moi, brise mes chaînes », *et cœtera* ?

— Exactement. Nous allons tous la réciter ensemble.

Lily jeta un regard à son père, mais ces préparatifs n'avaient pas l'air de l'inquiéter. Au contraire, il hochait vivement la tête.

Le dragon soupira, un peu irrité :

— Lily, chère enfant, prends cette bouteille. Mes griffes ne sont pas faites pour manipuler des petits objets. Pose-la ici, entre ton père et moi.

Lily obéit. Quand elle saisit la bouteille, celle-ci émit une lueur argentée. Elle la posa avec précaution sur le plancher, en se demandant ce qui arriverait aux habitants de Fountain Court, qui boiraient cette eau jour après jour. Peut-être leur porterait-elle chance ? Les enfants avaient l'air d'en avoir bien besoin. Elle sourit intérieurement : peut-être que Georgie et elle avaient insufflé un peu de magie dans leur vie.

Le dragon avança vers le centre de la scène. Les machinistes qui travaillaient et acteurs qui répétaient se replièrent vers les coulisses. La magie en préparation tournoyait dans l'air, si fort que même ceux qui n'avaient pas de pouvoirs surnaturels devaient la percevoir. Lily sentit ses cheveux se hérisser sur sa nuque, et son cœur battre plus vite.

Argent ondula, déroula sa colonne vertébrale – et il n'était presque qu'une colonne vertébrale – et tendit les ailes. Puis il baissa son énorme gueule vers la bouteille, comme s'il allait l'avaler. Elle n'aurait même pas représenté une bouchée, pour lui.

Lily vit les jongleurs qui s'étaient disputés se rapprocher les uns des autres et s'agripper par le bras. Georgie et Henrietta se serraient contre elle. Georgie tremblait : Lily devina que la magie qui remplissait l'espace rendait le refoulement des maléfices plus difficile. Elle prit la main sèche et fiévreuse de sa sœur et l'étreignit.

Les flancs du dragon se soulevèrent, et brusquement, il cracha une flamme sur la bouteille en terre cuite, qui noircit, puis devint rouge vif, et enfin dorée, avant de disparaître complètement. Ne resta plus que l'eau qui avait pris une forme de flamme, et qui dansait et frétillait sur le parquet.

Le dragon fit un pas en arrière et parla d'une voix rauque, comme si le feu lui avait brûlé le gosier :

— Buvez.

Comment peut-il boire ça ? se demanda Lily, et Georgie dut penser la même chose, car elle se raidit. Mais leur père n'eut pas l'air déconcerté. Il avança de son pas chancelant, tomba à genoux, entouré des replis de sa robe de chambre, et prit l'espèce de flamme argentée entre ses mains.

Rose tendit la main à Lily et Georgie et se mit à réciter à mi-voix :

— *Libère-moi. Délivre-moi. Brise mes chaînes.*

Elle fit une pause, puis continua :

— *Libère ma langue. Délivre ma voix. Et que ma magie revienne.*

Sur un signe d'elle, les deux filles lui firent écho. En cercle autour de Papa, toutes les trois répétèrent ensemble :

— *Libère-moi... Délivre-moi... Brise mes chaînes...*

Lily sentait que ces mots jaillissaient d'elle imprégnés d'une énergie prodigieuse, et elle jeta un coup d'œil anxieux à Georgie. Prendre part à un tel rituel ne risquait-il pas de réveiller les maléfices ? Mais sa sœur avait une expression déterminée, et elle proférait chaque mot avec décision, quoique avec effort. Elle n'avait pas l'intention de se laisser faire.

— *Libère-moi... Délivre-moi...*

Son père porta à sa bouche la flamme d'eau qui dansait dans ses mains et fit couler le liquide argenté dans sa gorge. Il l'avala péniblement, à grandes gorgées douloureuses. Puis il laissa retomber ses mains, sur lesquelles coulaient encore des gouttelettes étincelantes, et s'effondra lentement sur le sol, évanoui.

— Que se passe-t-il ? s'affola Georgie.

Elle voulut courir vers lui, mais le dragon lui ferma le passage avec son énorme patte.

— Attends !

Lily agrippa Georgie pour la retenir. Pendant un moment qui leur parut éternel, elles regardèrent ensemble leur père sans connaissance sur le plancher.

Enfin, progressivement, il recommença à bouger. Ses doigts se crispèrent et tâtèrent les lattes de bois, comme pour comprendre ce que c'était. Avec des gestes lents et difficiles, il se redressa sur les genoux. Puis il tendit les bras à Georgie et Lily, et cette dernière se rendit compte que ses yeux étaient plus clairs et plus grands qu'avant, et qu'ils avaient perdu leur teinte jaunâtre maladive.

Elles se jetèrent dans ses bras. Lily ne se rappelait pas avoir jamais vécu un tel moment. Cela avait dû arriver, pourtant, mais elle n'avait aucun souvenir de son père avant son arrestation. Elle sentit sa magie l'envelopper avec amour, une magie si semblable à la sienne.

— Mes filles... prononça-t-il d'une voix hésitante, un peu enrouée d'avoir été inutilisée si longtemps, mais bien audible. Mes courageuses petites filles...

***

— On dirait un autre pays...

Peyton Powers soupira en parcourant le journal déployé devant lui. Il portait toujours sa robe de chambre rouge, mais par-dessus une chemise et un pantalon propres empruntés à Daniel. Ils auraient dû être trop petits, puisque Daniel, à dix-sept ans, était encore très mince, mais les gardiens d'Archgate ne s'étaient pas beaucoup souciés de nourrir les prisonniers à leur faim. Personne ne tenait particulièrement à les garder en vie, après tout.

— Imaginez donc l'effet que ça m'a fait, à moi ! renchérit Argent.

Il regardait le journal par-dessus l'épaule de Papa. Sa vue n'était pas adaptée aux petits caractères des journaux et livres, mais il distinguait quelques mots.

— À l'époque où nous nous sommes cachés sous le manoir des Fell, la magie prospérait, même si l'ancienne branche de la famille s'était éteinte. Et voilà qu'en me réveillant, j'ai découvert que j'étais illégal...

Mr Powers, qui s'était remarquablement bien habitué à cohabiter avec un dragon, se moqua :

— Je ne suis pas convaincu que tu aies jamais été légal. Je parie que le premier Fell qui a trouvé un dragon s'est bien gardé de le déclarer. N'importe quel roi pourvu d'un minimum de bon sens se serait empressé de décréter que tous les dragons étaient propriété de la

Couronne, en moins de temps qu'il n'en faut pour rédiger une loi...

— Et vous croyez que cela aurait fait la moindre différence ? s'offusqua le dragon. Nous ne sommes pas une « propriété ». Je n'appartiens pas aux Fell : je m'associe à leur famille, voilà tout.

Henrietta ricana distinctement, et pour une fois, Gus sembla d'accord avec elle ; il jeta un regard sceptique au dragon et marmonna :

— Pendant plusieurs siècles ?

Lily voulut distraire le dragon. Henrietta devenait trop insolente avec lui, oubliant qu'il aurait pu la croquer d'un seul coup de mâchoire.

— Papa, sommes-nous apparentés aux Fell ? Argent prétend que oui, et Rose pense qu'il a raison.

— Je devrais le savoir, expliqua Rose, mais je n'ai pas été élevée au manoir, et ne connais pas toute l'histoire de notre famille. Cependant, Lily ressemble à certains portraits de mes ancêtres, et vous aussi, Peyton.

— Bien sûr, Lily. Ton arrière-grand-mère était une Fell. L'ignorais-tu ?

Argent poussa un soupir satisfait. Un dragon ne pouvait pas s'abaisser à lancer : « Je te l'avais bien dit ! », mais on devinait aisément qu'il le pensait.

Papa secoua la tête :

— Ah, c'est vrai... J'oublie toujours que Nerissa ne t'a rien enseigné. Et dire que c'était toi la mieux lotie...

Il jeta un regard aux couvertures sur lesquelles dormait Georgie, dont les yeux étaient entourés de cernes. Elle passait de plus en plus de temps à somnoler : les maléfices étaient plus faciles à maîtriser ainsi, expliquait-elle.

— Je déteste penser à la manière dont vous avez vécu à Merrythought, enfermées avec votre mère et son affreuse servante. Et même maintenant... Vous ne devriez pas grandir en ayant à cacher vos pouvoirs. C'est injuste. Scandaleux. Nous devrions en être fiers !

— On croirait entendre Maman. Sauf qu'elle le dit avec plus de colère...

— Je ne suis pas comme elle, Lily, ne t'inquiète pas. Mais il faut faire quelque chose. Je ne peux pas vivre sans magie. Tu ne peux pas comprendre... Les sortilèges de la prison m'empêchaient de rien ressentir. Je n'étais plus qu'une enveloppe vide, un pantin faible et triste. Mais maintenant... J'ai peut-être l'air vieux et décrépit, mais je me sens si fort ! Je ne supporte pas l'idée de devoir cacher ma magie pour le restant de mes jours, faire comme si elle n'existait pas. Comment le pourrais-je ?

Lily fronça les sourcils. La magie devait rester secrète. Il en avait toujours été ainsi. Pourquoi semblait-il ne pas le comprendre ? Patiemment, elle commença :

— Si nous montrons ce que nous sommes, tu seras aussitôt renvoyé en prison, et nous avec.

Déjà, il secouait la tête :

— Non ! Non, Lily, je ne crois pas. Bien sûr, si on nous capture... Mais on ne nous capturera pas. Nous ferons très attention.

— Attention en faisant quoi, exactement ? l'interrogea Henrietta, suspicieuse, en posant ses pattes sur le journal pour le regarder dans les yeux. Tirer Lily et sa sœur de l'institut Fell a demandé beaucoup d'efforts, vous savez. Je refuse de la voir arrêtée à nouveau !

— Moi aussi. Ne t'inquiète pas, Henrietta. Mais ne comprenez-vous pas que même ici, nous sommes emprisonnés ? Notre magie est enfermée... Or, ce n'est pas une fatalité. Les choses changent. Même là-dedans, il y a des indices, continua-t-il en secouant le journal. Ces mesures de répression, nos courageux protecteurs qui luttent contre les hors-la-loi... Ce sont les hors-la-loi qui m'intéressent, pas le policier valeureux qui s'est retrouvé à l'hôpital. Les gens se dressent face aux Hommes de la reine. Il faut saisir l'occasion ! Lily, ma petite fleur, tu m'as bien dit que les enfants avaient apprécié la magie, près de la fontaine, non ?

Ce surnom résonna de manière familière aux oreilles de Lily. Se rappelait-elle réellement avoir entendu son père l'appeler « petite fleur » ? Ou avait-elle juste envie de se le rappeler ?

— Oui, confirma-t-elle enfin. Un des garçons a bien proposé de nous dénoncer, mais à mon avis, seulement parce qu'il craignait d'avoir des ennuis si on découvrait qu'ils protégeaient des magiciennes. Les autres étaient si contents que la fontaine recommence à couler qu'ils voulaient juste savoir si ça n'allait pas s'arrêter. Et pas parce qu'ils avaient soif. L'eau les attirait ; ils venaient s'y réchauffer, presque comme autour d'un feu.

— Je suis convaincu que très peu de gens jugent la magie mauvaise, en fait. Seulement la reine, et la reine mère, bien sûr, et leurs conseillers. Si nous exigions que le Décret soit révoqué, nous pourrions probablement compter sur l'appui du peuple.

— Pas si les magiciens se comportaient comme autrefois, intervint sévèrement Rose. Pas si la magie restait chère et exceptionnelle, et les magiciens toujours aussi hautains et orgueilleux.

— Je n'ai jamais été... (Peyton Powers s'interrompit, et soupira.) Bon, d'accord, peut-être que si. Mais à présent, croyez-moi, je m'attellerais volontiers aux sortilèges les plus élémentaires. Je suis prêt à guérir des verrues, si ça me donne le droit d'utiliser mes pouvoirs ! Ou à empêcher les cafards d'envahir le garde-manger. Ou à tenir un petit magasin d'ingrédients magiques...

— Il y avait une boutique charmante, autrefois, vous vous rappelez ? demanda Rose en souriant. Sowerby's... Un terrifiant crocodile empaillé trônait dans la vitrine...

— Oh, oui ! Un de mes amis, encore apprenti, a voulu voler le crocodile, un jour. Il avait l'intention de le libérer dans le parc de Saint-James pour qu'il pourchasse les dames de la haute société... Il a failli perdre un bras, dans l'aventure. Le vieux Gideon Sowerby a sorti un baume magique de quelque part, et le pauvre garçon a senti la rose pendant plus d'un an.

— Ce devait être agréable, non ? l'interrogea Lily.

— Non. L'odeur était si forte qu'on ne pouvait pas rester dans la même pièce que lui. Elle a fini par partir, mais même des années après, il émanait toujours de lui un vague parfum...

Il sourit en y repensant, puis reprit son sérieux :

— Mais n'êtes-vous pas de mon avis, madame, que la vie serait plus douce pour tout le monde avec un peu de magie ?

— Bien sûr que si ! Mais que proposez-vous ? De vous joindre à ce complot aux côtés de votre épouse ?

Rose le fixa avec un regard froid comme la glace, et Lily poussa un cri d'horreur :

— Non ! Tu ne peux pas faire ça, même si nous avons le même but ! Pas après ce qu'elle a fait à Georgie !

Son père se leva d'un bond, la saisit par les épaules et la regarda bien en face :

— Écoute-moi bien, Lily. Je ne ferais jamais, *jamais* une chose pareille. Notre but n'est absolument pas le même ! Mais cette situation ne peut pas durer. Ce que je voudrais, c'est une révolution pacifique, si une telle chose est possible. Je ne veux pas renverser la reine : juste lui faire comprendre que la magie n'est pas néfaste et monstrueuse comme on la lui a dépeinte. Jonathan Dysart et votre mère et les autres souhaitent que tout redevienne comme avant, et que les magiciens recommencent à dominer le peuple. Mais Rose a raison : ce n'est pas ainsi que ça devrait être.

— Malheureusement, je doute que la reine mère accepte de légaliser la magie un jour, soupira Lily. Pas après avoir vu son mari assassiné par un magicien. Je sais qu'elle est folle et méchante, mais on peut la comprendre... Et maintenant, c'est elle qui commande, pas vrai ? Elle a été nommée régente depuis que la reine Sophia est malade.

— Je sais. Mais si nous réussissions à faire échouer la conspiration, peut-être regagnerions-nous sa confiance...

Il serra les épaules de Lily, puis les lâcha et se laissa retomber en arrière contre Argent, la mine défaite :

— Sauf qu'aller annoncer à la reine qu'un grand nombre de magiciens complotent contre elle n'est pas vraiment le meilleur moyen de lui redonner confiance en nous, hélas. D'autant plus que je suis marié à l'un des membres du complot... Oh, c'est si compliqué !

— C'est la seule chose que vous puissiez faire, pourtant, décréta Argent. Surtout que vos filles y sont mêlées, elles aussi.

— Je sais. Tu as raison. Et la première chose à faire, c'est d'aider Georgie.

Il regarda sa fille aînée avec tristesse :

— Je n'ai pas envie de la réveiller. Sa participation au rituel, hier, semble l'avoir épuisée. La voir aussi affaiblie me désole, surtout maintenant que je vais tellement mieux... Mais plus tôt nous commencerons à la délivrer des maléfices, mieux ça vaudra.

— Maintenant ? demanda Lily avec espoir.

Il hocha la tête :

— Maintenant.

QUATRE

Lily secoua doucement sa sœur. Georgie geignit dans son sommeil, et ses paupières meurtries papillotèrent.

— Peut-être devrions-nous la laisser dormir encore un peu, suggéra Papa, soucieux.

— Non. Je ne veux pas la laisser dans cet état une minute de plus.

Elle secoua à nouveau Georgie, puis lui tapota la joue, un rien trop fort. Georgie se redressa d'un seul coup, haletante, les yeux écarquillés de terreur.

— Quoi ? Que s'est-il passé ?

— Rien, rien...

Lily s'efforça de la rassurer, comme elle le faisait de plus en plus souvent la nuit, quand sa sœur était hantée par des cauchemars et s'agitait dans le vieux lit de cuivre qu'elles partageaient. Elle était habituée à voir Georgie dans cet état-là, mais Papa fut frappé par sa peur panique.

Georgie s'appuya contre l'épaule de Lily et poussa un soupir entrecoupé.

— Je croyais... Je rêvais...

— Je sais, répondit Lily en l'enlaçant. Mais tout va bien. Nous sommes en sécurité, je te le promets. Georgie, écoute... Papa estime que nous pouvons commencer à nous occuper de ces maléfices. Nous allons t'en débarrasser. Tu vas enfin pouvoir redevenir toi-même !

Elle tint Georgie à bout de bras pour la dévisager.

— C'est le but que nous avons poursuivi pendant tout ce temps ! Tu n'es pas contente ?

Elle s'était attendue à ce que Georgie se mette à rire, s'enthousiasme, ou sourie, au moins. Mais sa sœur la fixait avec de grands yeux effarés.

— Elle ne sait plus qui elle est, diagnostiqua une petite voix bourrue près du coude de Lily.

— Ne dis pas de bêtises, Henrietta !

— Elle a raison, chuchota Georgie. Je l'ignore. J'ai été ensorcelée pendant si longtemps. Des années. Et si... et s'il ne restait plus rien de la vraie Georgie ?

Henrietta s'approcha, la mine sévère, et Lily se raidit. Le carlin noir saisissait toujours la moindre occasion pour rabrouer sa sœur. Lily s'était toujours demandé pourquoi. Elle vénérait Henrietta, qu'elle trouvait adorable. La tirer d'un portrait à Merrythought avait été son premier sortilège ; le premier qui ait réussi, en tout cas. Mais parfois, elle soupçonnait Henrietta d'être jalouse de Georgie. Était-ce pour cela qu'elle la rabaissait à longueur de temps ? Elle n'oserait jamais lui poser la question.

Du regard, elle essaya désespérément d'avertir Henrietta que ce n'était pas le moment de critiquer Georgie ou de lui faire remarquer qu'elle passait tout son temps dans la salle des costumes au lieu de se rendre utile. Lui reprocher sa faiblesse ne l'aiderait pas.

Mais la petite chienne effleura le poignet de Georgie de sa truffe humide et la regarda en face.

— Je sens ton odeur, affirma-t-elle. Tu es là-dedans, quelque part. Enveloppée dans quelque chose de sombre, certes, mais tu es là, sous cette espèce de couverture noire cousue autour de toi.

Lily frissonna. On aurait dit qu'elle parlait d'un suaire. Mais Georgie esquissa un sourire, et ses joues reprirent un peu de couleur.

— Tu en es sûre ? chuchota-t-elle.

— Évidemment, répondit Henrietta en retrouvant son insolence habituelle. Pour qui me prends-tu ? Pour un chat ?

Les moustaches de Gus frémirent, mais il fit semblant de ne pas avoir entendu. Henrietta agita triomphalement la queue.

— Bon, alors, par où commençons-nous ?

Papa fronça les sourcils et prit la main de Georgie qu'il serra dans ses doigts maigres. Il essayait de sourire, mais quand son bras effleura Lily, elle se rendit compte qu'il tremblait.

— Mes chéries, il faut que vous compreniez quelque chose. Nerissa, votre mère, est une magicienne très puissante.

— Plus que toi ? s'enquit Lily d'une petite voix.

— Peut-être.

Mais Rose secoua la tête.

— Je n'en crois rien. Différente, oui. Et impitoyable. Mais vos pouvoirs sont vastes, Peyton Powers. Je les ai détectés en vous il y a bien longtemps, et j'ai détecté les mêmes chez Lily.

Elle sourit à la malheureuse Georgie et s'agenouilla près d'elle.

— Et la petite chienne a raison, même si elle adore taquiner Gus. Je suis convaincue que la magie de ton père prend autant de place que celle de ta mère, en toi. Nerissa n'est si puissante que parce qu'elle ne se fixe aucune limite, jamais. Quand elle est venue me rendre visite, j'ai senti des ondes négatives irradier de chacun de ses pores. Les maléfices la dominent autant que toi. La différence, c'est qu'elle, elle les a appelés, et accueillis avec joie. Ils font désormais partie d'elle. Peut-être même l'emplissent-ils tout entière, et ne serait-elle rien sans eux. Mais je ne pense pas que ce soit ton cas. Quant à vous, Peyton, rappelez-vous que vous venez de passer presque dix ans en prison pour avoir refusé de vous priver de vos pouvoirs. Si vous les jugez si faibles, pourquoi ne pas y avoir renoncé ? Vous auriez pu aller vous terrer quelque part avec vos filles chéries, quitte à réaliser quelque sortilège de temps en temps, en secret. Vous les auriez ainsi protégées de Nerissa. Pourquoi les avoir abandonnées, si votre magie est si insignifiante ?

Papa baissa les yeux et caressa inconsciemment la main de Georgie.

— Autrefois, j'étais puissant, c'est vrai. Mais à présent... vous ne pouvez pas comprendre. Ces sortilèges que vous avez installés à Archgate étaient très réussis, vous savez. Ils m'ont ôté ma magie, ils l'ont étouffée, jusqu'à ce que je ne la sente presque plus. Et maintenant, je dois réapprendre à utiliser mes pouvoirs, après en avoir été privé pendant si longtemps. (Il rit avec amertume.) J'ai l'impression d'être redevenu un apprenti ! Je ne sais pas si je suis en mesure de combattre les maléfices de Nerissa. Et je ne veux pas te faire de mal, Georgie.

Pour la première fois depuis bien longtemps, Lily vit les yeux de sa sœur s'enflammer.

— Je m'en moque ! Croyez-vous que ces maléfices qui me dévorent de l'intérieur ne me font pas de mal ? Je pensais que je pourrais juste les enfouir, les oublier, mais je sens qu'ils sont en train de me changer en quelqu'un d'autre. Je préférerais mourir, plutôt que rester comme ça !

— Non ! cria Lily. Ne dis pas ça !

— C'est vrai, pourtant.

L'étincelle s'éteignit dans les yeux de Georgie, et ils se remplirent de larmes. Henrietta s'approcha et grimpa sur ses genoux avant de se rouler en boule avec décision, le museau sur la main de Georgie. Celle-ci la caressa, hésitante, comme si elle n'était pas sûre d'avoir le droit de le faire. Tenir un chien sur ses genoux sembla la calmer, et elle reprit :

— Je me moque de ce que vous devez faire pour me désensorceler. Quoi que ce soit, faites-le. Même si ça implique de supprimer toute ma magie. Je me rappelle à peine l'avoir utilisée, de toute façon. Je ne pouvais risquer que les plus petits sortilèges avant de sentir autre chose qui s'approchait. De grandes formes noires, qui glissaient derrière moi et se cachaient dans mon ombre quand je me retournais. Mais je savais qu'elles étaient là, et qu'elles riaient de ma faiblesse. Maintenant, elles ne prennent même plus la peine de se cacher. Il suffit que je *pense* à un sortilège pour qu'elles surgissent. Je n'aurais pas agi comme je l'ai fait à la fontaine si je n'avais pas été aussi désespérée. Et heureusement, je me suis évanouie avant... avant qu'il se passe quelque chose d'horrible. Je préférerais de loin être une fille quelconque, sans pouvoirs surnaturels. Franchement, ça ne me dérangerait pas.

Elle sourit tristement à ceux qui l'entouraient :

— S'il est possible d'éviter que je meure, ce serait bien... Mais je pensais vraiment ce que j'ai dit. Je ne suis pas moi-même, actuellement. Henrietta a raison. Je ne sais pas vraiment comment est la vraie Georgie, mais il doit rester quelque chose d'elle. Et même si ce n'est pas grand-chose... au moins, ce sera vraiment moi.

Lily hocha la tête, tristement, et Henrietta lécha le poignet de Georgie avant de frotter sa petite tête ridée contre son bras. Georgie la regarda avec surprise : c'était le genre de geste affectueux que la chienne prodiguait à Lily, jamais à elle.

— Viens près de moi, chère petite, suggéra Argent. Venez tous. Je peux vous protéger contre les maléfices, au moins un peu. Et cette magie de votre mère m'intéresse. Je suis très curieux de vous voir la combattre.

Georgie se leva, Henrietta toujours dans les bras, même si elle regardait sans cesse la petite chienne comme si elle s'attendait à ce que cette dernière lui intime de la poser. Elle s'installa entre les pattes avant d'Argent, avec son père d'un côté, Lily de l'autre, et Rose en face. Argent étendit son long cou le long de l'une de ses pattes et l'enroula autour d'eux, de sorte qu'ils étaient presque entourés d'écailles étincelantes et de l'odeur particulière du dragon, salée comme la mer. Lily posa sa main sur lui pour caresser ces écailles douces comme de la soie ou de la porcelaine et les bosses qu'elles formaient là où chacune rejoignait la

suivante. La magie protectrice d'Argent bour-
donnait et pulsait autour d'elle, et elle sentit
sa peur se dissiper en partie. Il ne laisserait
pas les maléfices faire du mal à Georgie, elle
en était sûre.

Elle mit son autre main sur celle de Georgie, et
sa sœur lui serra les doigts avec force. Henrietta
posa le menton sur leurs mains jointes, leur
communiquant sa douce chaleur veloutée.

Lily leva les yeux vers son père. Comment
allait-il s'y prendre ? Il avait les yeux fermés,
et le front plissé, à tel point que ses sourcils
se touchaient presque. Elle comprit qu'il avait
déjà commencé à chercher les maléfices. Elle
ferma les yeux à son tour et essaya de percevoir
ce qu'il faisait.

— On dirait vraiment qu'ils sont cousus à
toi, marmonna-t-il. C'est étrange. Je suis certain que Nerissa n'a jamais tenu une aiguille
de sa vie...

— Georgie a vécu avec cette magie pendant
très longtemps, expliqua doucement Argent.
Elle lui a donné une forme qui lui correspon-
dait.

— Non, je n'ai pas... Je n'en veux pas ! Tu
dis ça comme si j'avais fait en sorte qu'elle
fasse partie de moi !

Le dragon ronronna pour la rasséréner, et souffla une étrange brume scintillante qui s'enroula autour des épaules de Georgie et se posa sur sa peau comme un bouclier miroitant.

— Ils sont tellement enchevêtrés, murmura Papa. Entortillés à toi... Georgie, sens-tu quelque chose si je tire, comme ça ?

Ses doigts se rapprochèrent, comme s'il attrapait un fil, et Georgie eut un petit rire.

— Ça chatouille !

— C'est comme si je devais défaire une broderie. Je ne sais pas comment m'y prendre...

Rose posa doucement la main sur son genou.

— Pouvez-vous le *voir* comme une broderie ? Comme une image ? Lily nous a raconté que vous aviez fait apparaître des personnages sur le mur. Si votre magie se fonde sur des images, et celle de Georgie sur des fils, peut-être pouvez-vous concilier les deux. Ma vieille maîtresse tricotait souvent ses sortilèges. Et si nous voyons ce que vous faites, nous pourrons peut-être vous prêter main-forte.

— C'est vrai. J'aurais dû y penser moi-même. J'ai vraiment perdu l'habitude...

Il se mordit les lèvres, et soudain, Georgie poussa un petit cri et plaqua les mains sur son ventre, comme si on lui avait arraché quelque chose. Au même moment, le long rideau gris qui servait à cacher le dragon quand il ne devait pas être vu des spectateurs tomba des cintres au-dessus d'eux et se déroula en froufroutant.

Un des machinistes poussa un cri de colère, mais s'interrompit bien vite quand il vit ce qui se passait. On aurait dit que quelqu'un traçait un dessin sur le tissu gris. Une image faite de millions de petits fils juxtaposés. Lily comprit qu'il devait s'agir d'une tapisserie. Il y en avait quelques-unes dans le hall de Merrythought, mais elles étaient si vieilles et décolorées, après avoir passé des années exposées à la lumière, qu'on n'y distinguait plus que le fantôme de l'image dont elles avaient été autrefois recouvertes. Cette tapisserie-là était formée de couleurs vives comme des pierres précieuses, et elle était vivante : les points dansaient et brillaient, débordant de magie.

— C'est à ça que je ressemble, à l'intérieur ? chuchota Georgie, les yeux écarquillés.

— Devons-nous tout défaire ? s'épouvanta Lily.

C'était énorme, et infiniment complexe : il y avait là des centaines d'images accolées qui bougeaient quand elle essayait de les examiner, comme si elles fuyaient son regard. En fixant suffisamment longtemps un motif et en essayant de le voir comme un tissu et non comme l'âme de sa sœur, elle réussissait à distinguer les points, mais cela lui piquait les yeux et la faisait pleurer.

— Non, répondit Papa. Il y a des fils plus sombres, tu les vois ? Il faut un moment pour les distinguer. Dans bien des endroits, on dirait que les images ont été tracées avec un fil double.

— Deux fils de soie sur la même aiguille, confirma Rose. C'est une manière de mélanger les couleurs, et de conférer de la profondeur à la broderie.

— C'est bien ça... Les maléfices sont cousus en double de l'histoire de ta vie, Georgie. Ce fil de magie noire est partout...

— Non, pas partout, le contredit Lily en frottant ses yeux larmoyants. Regardez, là, au centre. Les couleurs sont plus claires. Comme si le fil noir n'était pas passé par là.

— C'est vrai. L'ensorcellement n'atteint pas le plus profond de ton âme, Georgie, ma chérie. Mais vous avez vu comme il est mélangé au reste, et combien de points il nous faut défaire !

— Et si nous n'y arrivons pas ? demanda Lily d'une petite voix.

Personne ne lui répondit.

Dans de nombreuses petites images, le fil sombre faisait partie intégrante du dessin, et grisonnait la vivacité de sa sœur presque entièrement. Elle plissa les yeux pour examiner une des scènes les plus sombres, et frissonna en reconnaissant le loup de poussière que Georgie avait invoqué pour échapper à Marten, la servante de Maman. Elle avait été contrainte d'utiliser un des terribles maléfices qu'elle portait en elle, et Lily se rappelait encore son horrible puissance, et la facilité avec laquelle la magie noire avait jailli des doigts de Georgie et construit le monstre avec la poussière de la rue et un peu de sang que les griffes de Marten avaient fait couler. Et elle se rappelait aussi combien promptement il s'était retourné contre elles, affamé, dès qu'il était venu à bout de Marten. Seule l'intervention de Lily les avait sauvées. Elle possédait un pouvoir dont elle ignorait l'existence, mais pour lequel les Powers avaient toujours été réputés : celui de faire changer le temps, et de provoquer des orages. Elle l'avait senti en elle quand Henrietta lui avait rappelé qu'elle pouvait faire de la magie elle-même.

Sur la tapisserie, le loup avait une fourrure gris sale veinée de rouge, et Marten était en train d'essayer de lui échapper, mais les sortilèges verdâtres dont elle était composée se répandaient déjà autour d'elle. Si Lily devait retirer tout le fil sombre qui composait cette image, il ne resterait presque plus rien : juste Lily et Henrietta affolées dans un coin, et les nuages qui s'amoncelaient au-dessus de leurs têtes, sur le point de doucher le loup de poussière et de l'emporter dans le caniveau.

— Ce n'est pas un fil sombre quelconque, fit remarquer Lily. Regardez : Henrietta est noire, et elle figure dans la tapisserie, mais ce n'est pas le même noir. Les maléfices sont plus intenses ; ils absorbent les autres couleurs.

Elle prit la mesure de ce qu'elle venait de dire et évita de regarder sa sœur, mais elle n'avait pas besoin de le faire pour se rappeler le blond presque blanc de ses cheveux ou la pâleur grise de sa peau.

— Où est-ce que ça commence ? demanda leur père en essayant de remonter le fil sombre.

Tout le monde se mit à chercher son origine des yeux, jusqu'à ce que Georgie se lève, Henrietta dans les bras, et pointe un endroit du doigt. Argent déroula sa queue pour les laisser avancer vers la tapisserie, mais il déploya ses ailes au-dessus d'eux, comme pour les abriter tous.

— Ici.

Georgie avait parlé d'une voix plate, et Lily devina qu'elle étouffait ses sentiments pour ne pas se mettre à pleurer ou à crier. Elle se leva à son tour et s'approcha pour voir ce que désignait Georgie. Leur père fit quelques gestes ; le rideau s'agita alors comme sous l'effet d'une brise inexistante, et cette partie de la tapisserie s'agrandit. Lily frissonna en découvrant une version brodée de sa sœur, bien plus jeune, les joues plus rondes et plus roses, mais avec déjà une expression terriblement sérieuse. Elle devait avoir tout au plus sept ans. Elle se tenait debout à côté de Maman, et Lily reconnut la bibliothèque de Merrythought, avec ses meubles en bois sombre, et ici et là un éclat de fil doré pour figurer les titres dorés sur les reliures en cuir des livres. Nerissa Powers tenait les mains de Georgie dans les siennes, et sa fille levait les bras. Leurs bouches étaient ouvertes : elles récitaient une formule ensemble. Maman souriait ; un fil noir sortait de sa bouche et s'enroulait autour de Georgie, atténuant l'éclat de ses cheveux blonds et recouvrant d'ombre sa robe rose.

— C'est ici que ça a commencé, répéta Georgie d'une voix chevrotante.

Brusquement furieuse, Lily se jeta griffes en avant contre l'image, avec une seule envie :

arracher le fil. Il s'accrocha dans son ongle, poisseux et brûlant, et lui colla aux doigts. Mais un instant plus tard, ce premier fil noir était arraché et pendait devant la tapisserie, ondulant un peu, comme un serpent cloué à un mur.

— Lily, attention ! cria son père en l'arrêtant avant qu'elle puisse tirer à nouveau. Regarde Georgie !

Lily fronça les sourcils. Il y avait désormais des trous dans la broderie, là où elle avait arraché le fil sombre, mais n'était-ce pas le but ? La fillette souriait toujours, en tout cas, même si son image était moins nette qu'avant.

— Regarde !

Sa sœur geignit alors, et Lily comprit de quoi il parlait. La vraie Georgie était étendue sur le sol, les bras serrés autour de sa poitrine, et Henrietta lui grattait frénétiquement la tête.

— C'est en tirant sur le fil que je lui ai fait ça ? s'exclama Lily, horrifiée.

Georgie se tordit par terre, gémit encore, et rouvrit les yeux. Leur iris bleu était voilé par les larmes.

— Continue, Lily ! Si ça me fait cet effet-là, c'est que ça marche. J'ai senti qu'on m'arrachait quelque chose, et ça m'a fait du bien, même si c'était horrible. Recommence.

— Je ne suis pas sûre que... hésita Lily en voyant Georgie se contracter tandis que les maléfices convulsaient en elle.

— Vas-y ! cria Georgie.

Lily lui tourna résolument le dos. Mâchoires serrées, elle enfonça les ongles dans la scène suivante, une scène qu'elle se rappelait presque. Georgie était assise dans la bibliothèque, entourée de piles de livres, et ses longs cheveux traînaient sur la page de l'énorme grimoire qu'elle étudiait. Cette fois, le grimoire lui-même crachait le maléfice qui avalait peu à peu Georgie, la recouvrant d'ombres.

Je me demande où j'étais, se dit Lily. *Peut-être sur la plage, ou en train de courir dans le verger en friche avec Peter, oubliée de tous. J'ai eu tant de chance.*

Elle ferma les yeux en regrettant de ne pas pouvoir aussi se boucher les oreilles, et tira sur le fil, l'arracha, le déchira, détruisant le livre et sa magie dévorante. Lorsque le moindre point dessinant le livre eut disparu, Lily aperçut enfin, près de la fenêtre, la silhouette qui regardait sa fille. Ou peut-être *ses* filles. Lily avait l'étrange impression que même du fond de ce souvenir, sa mère pouvait voir ce qu'elle faisait. Tant et si bien que quand un cri aigu la fit reculer, elle pensa un instant que sa mère hurlait depuis la tapisserie.

Mais c'était Georgie, plus blanche que jamais, les yeux presque noirs, ouverts, et néanmoins aveugles, qui criait et martelait le sol de ses mains.

— Lily, arrête ! cria Rose. C'en est trop pour elle.

La magicienne posa la tête de Georgie sur ses genoux et lui fredonna des paroles de réconfort et des formules de guérison.

— Les fils de soie se rattachent, chère petite. Les trous se réparent peu à peu. Sens-tu que la tapisserie se reforme, que tu redeviens toi-même, que tu reprends des forces ? *Recouds-la, répare-la, guéris-la, recouds-la...* récita-t-elle en faisant des passes au-dessus du cœur de Georgie.

Lily se mit à pleurer, horrifiée par ce qu'elle avait fait. Henrietta aboya pour être prise dans ses bras, et Lily serra la petite chienne en sanglotant.

— Elle t'a demandé de continuer, lui rappela le carlin. Et il faut que ce soit fait.

— Je sais, mais... et si elle meurt ?

Papa, qui était en train d'aider Rose, lui fit signe d'approcher.

— Rappelle-toi ce qu'elle t'a dit. Elle pense que ça vaudrait mieux.

— Tu... Tu crois qu'elle va... hoqueta Lily.

— Non. Mais je ne crois pas non plus qu'elle est guérie. Je suis désolé, Lily. Ça a duré si long-temps. Des années et des années ; des couches et des couches de maléfices. Il va falloir faire plusieurs tentatives. Et nous devons nous y prendre avec douceur si nous voulons qu'il reste quelque chose de Georgie quand nous aurons terminé. (Il avala sa salive.) J'ai déjà vu des gens qui avaient été désensorcelés, Lily. Si on ne fait pas attention, on emporte tout en même temps, et il ne reste plus qu'une coquille vide.

— Je vous entends, vous savez, murmura Georgie, sur le sol. Et je persiste à dire que je m'en moque. Essayez encore.

Lily s'accroupit près d'elle.

— Demain, si tu es en forme. D'accord ? Tu feras réapparaître la tapisserie, Papa ?

Lily sourit à sa sœur, sans lui montrer à quel point elle se sentait déchirée elle-même.

— Et dis-moi, je pourrai t'emprunter tes petits ciseaux de couture ? Regarde, je me suis cassé un ongle sur un de tes stupides maléfices !

***

Elle avait changé. La dernière fois que Lily avait vu sa mère, à bord du navire qui les emmenait à New York, celle-ci était déguisée : elle portait un charme qui la transformait en vieille dame grincheuse. À présent, elle était redevenue elle-même, enveloppée dans une de ses robes de soie raides que Lily se rappelait si bien et qui balayaient le plancher poussiéreux du manoir de Merrythought. Un de ses chats la suivait.

Pourquoi n'a-t-elle pas de familier qui puisse lui parler et l'aider ? se demanda Lily, avec une logique propre aux rêves.

Sa mère sourit, dévoilant un peu trop ses dents.

Pourquoi voudrais-je qu'un chat me dise quoi faire, Lily, petite fleur ? Je préfère avoir des animaux de compagnie silencieux, ou liés à moi par un peu plus que de la simple loyauté...

Lily hocha la tête en repensant à ses Créatures : Marten, la servante faite de sortilèges, et l'affreux perroquet avec lequel elle avait complété son déguisement de vieille dame.

Dis-moi, petite fleur, pourquoi suis-je dans ton rêve, au lieu d'être avec ma Georgiana ?

Je ne sais pas, répondit Lily. Elle était trop profondément endormie pour avoir peur, mais elle ressentait une vague angoisse. Elle était consciente que quelque chose n'allait pas, et qu'elle aurait dû être effrayée.

Les maléfices auraient dû me conduire tout droit à Georgiana, continua sa mère en arpentant le couloir, dans un bruissement de sa robe rouge orangé qui flamboyait dans le noir. *À moins que quelqu'un n'ait touché aux maléfices,* se reprit-elle en avançant vers Lily, les yeux étincelants de colère. *As-tu fait ça, Lily ? T'es-tu mêlée de ce qui ne te regardait pas ? Oui, je le sens... et des bribes de maléfices te tachent encore les mains. C'était stupide, Lily. Et à la fois admirable. Admirable, et stupide, et surprenant. Tu ne devrais pas être capable de briser un de mes sortilèges, pas toute seule. Qui donc a pu t'aider ? Georgiana ne pouvait pas le faire elle-même... Alors, qui avez-vous trouvé ?*

Ses yeux s'écarquillèrent, et leur éclat s'éteignit quand elle se pencha sur le lit : on aurait dit des cailloux noirs.

Non ! Ça ne peut pas être lui... murmura-t-elle en tendant une main pâle, aux doigts exagérément longs.

Elle se rapprochait, était sur le point de toucher Lily... mais celle-ci cria, repoussa sa main, et se réveilla.

CINQ

— Que se passe-t-il ?

Lily sentit des bras l'entourer, et se débattit, jusqu'à ce qu'elle se rende compte qu'elle était réveillée et que c'était Georgie qui la tenait ainsi.

— Lily, calme-toi, c'est moi ! Qu'y a-t-il ? Tu as fait un cauchemar ?

Lily hocha la tête en clignant des yeux dans la pénombre de la petite chambre du théâtre. Georgie était à côté d'elle, et Henrietta sur ses genoux. La chienne noire la regardait d'un air soucieux, de ses yeux qui brillaient comme des lampes.

— Tu ne rêves pas souvent, grogna le carlin. Pas comme ça.

— Je sais, admit Lily d'une voix rauque. Tu as vu ?

— Juste quelques images. D'elle. C'était elle, pas vrai ? Votre mère ?

— Maman ? s'affola Georgie.

Ses bras se crispèrent autour de Lily, et cette dernière s'agrippa à elle avec la même force. Les deux sœurs étaient entremêlées, enchevêtrées comme des lianes.

— Ce n'était qu'un rêve, affirma Lily.

— Tu crois ? As-tu jamais rêvé d'elle ?

— Non...

— Alors pourquoi aujourd'hui ? Je ne pense pas que c'était un rêve. C'était un présage, peut-être un avertissement.

— Non. Ça se passait ici même, en ce moment. Elle était là. Je crois qu'elle m'a vue, et qu'elle sait ce que j'ai fait. Elle a compris que j'avais touché aux maléfices. Et... je crois qu'elle va venir pour nous empêcher de continuer.

— Elle ne sait pas où nous sommes, intervint Henrietta. N'est-ce pas ? insista-t-elle en constatant que Lily gardait le silence.

— J'ignore comment ça se passe. Peut-être qu'elle peut suivre les maléfices, s'ils l'appellent. Peut-être qu'elle sait comment nous trouver.

— Elle ne le pouvait pas, avant, objecta Georgie. C'est même pour ça qu'elle nous a envoyé Marten, après notre fuite.

— Mais tu te rappelles que les maléfices ont commencé à se réveiller quand tu l'as côtoyée, à New York ? Ils se sont renforcés, et elle est reliée à eux...

Lily commençait à s'habituer à l'obscurité. Le visage de Georgie lui apparaissait telle une tache pâle, avec en son centre deux yeux inquiets. Elle sentait sa poitrine se soulever au rythme de sa respiration haletante. Elle posa sa joue doucement contre l'épaule de sa sœur et tenta de la rassurer :

— Mais souviens-toi d'une chose : Maman ne connaît pas l'existence d'Argent. Et aucun sang Fell ne coule en elle, contrairement à nous. Elle ne le comprendra pas comme nous, et il ne l'aidera pas. Il est dans notre camp.

Elle en était presque sûre, même si elle soupçonnait les dragons de se montrer parfois imprévisibles. Georgie lui caressa les cheveux et admit :

— C'est vrai, cela nous donne un avantage de taille.

— De très grande taille, même !

Lily rit dans le noir, et sa sœur lui décocha un coup de coude.

Quand elles se réveillèrent, au matin, elles entendirent le bourdonnement habituel du théâtre autour d'elles, et Lily se rendit compte qu'il était déjà tard.

— Nous devrions aller parler à Papa.

Elles s'habillèrent en toute hâte, se boutonnèrent mutuellement, et se lavèrent le visage avec le broc et la bassine d'eau qu'elles conservaient sur un tabouret dans un coin.

En débouchant sur la scène, elles trouvèrent leur père en compagnie de Daniel et Peter. Ils préparaient des nouveaux tours. Au fond, Argent dormait le long du mur, comme s'il faisait réellement partie du décor, tandis que des peintres occupés à réaliser une nouvelle toile de fond pour l'un des numéros de danse circulaient autour de lui, et l'escaladaient même à l'occasion.

Daniel montrait son pistolet à Papa, et ce dernier admirait les balles en cire qu'il soupesait dans sa main, comparant leur poids avec celui des vraies.

— Oh non, encore ce tour ! gémit Lily. Je t'ai raconté qu'il avait failli tuer quelqu'un, Georgie ?

— Bonjour ! les salua Daniel en agitant la main, tout excité. Votre père m'a donné de très bonnes idées pour améliorer l'illusion. Il paraît qu'on peut confectionner un faux sang très convaincant à partir d'une certaine espèce de scarabées séchés...

— Où est Rose ? l'interrompit Lily.

— Elle est partie à la recherche d'un vieil ami à elle, expliqua Papa. Elle veut trouver des ingrédients pour protéger Georgie quand nous réessaierons de démêler le fil noir. Son ami tient une petite boutique, heu... de contrebande, et fournit ce genre de choses à des gens comme nous...

Lily hocha la tête. C'était une décision raisonnable. Ç'aurait même été la meilleure à prendre... s'il n'y avait pas eu une magicienne cruelle et à moitié folle en train de chercher précisément l'enfant que Rose tentait de protéger ! Ils avaient besoin de Rose, ici même, tout de suite, pour les aider à installer un sortilège de protection autour du théâtre, par exemple.

Peter la dévisageait avec attention. Il remua les sourcils d'une façon qui, en temps normal, la faisait rire.

— Que se passe-t-il, petite fleur ? demanda son père en voyant leur échange de regards.

Lily garda le silence. Elle ne savait pas comment le lui annoncer. Après tout, avant même d'être leur mère, Nerissa Powers avait été son épouse. Lui avait-elle manqué, pendant son emprisonnement ? En dehors du fait qu'il lui en voulait d'être impliquée dans ce complot visant à destituer la reine, Lily ignorait quels étaient ses sentiments envers elle.

— Votre femme va venir, lui asséna Henrietta sans prendre de gants.

— Nerissa ? Ici ?

— J'ai rêvé d'elle, chuchota Lily. Je suis désolée.

— Ce n'est pas ta faute. Nous aurions dû deviner que les maléfices l'attireraient ici...

Il s'assit pesamment sur une caisse, et Lily vit Daniel grimacer. Se poser sur un des instruments de Daniel n'était pas une bonne idée : on ne savait jamais quel mécanisme caché pouvait en jaillir. Mais Papa ne semblait rien avoir déclenché de dangereux.

— Il faut protéger le théâtre, décida-t-il.

Il entreprit de compter les issues. Mais Lily ne l'écoutait plus. Le peu de couleur qui était revenu sur les joues de Georgie la veille, après leur intervention, s'était effacé. La jeune fille tremblait, serrait et desserrait convulsivement les poings, et dardait des regards effarés autour d'elle. Lily comprit ce qui se passait :

— Déjà ?

— Elle arrive !

Ce n'était pas une réponse à sa question. Georgie ne pouvait déjà plus rien entendre. Une vapeur rose émanait de son nez et sa bouche, un peu semblable à la fumée magique d'Argent. Lily fit un pas en avant ; le nuage s'agrippa alors à ses cheveux et les recouvrit d'une sorte de substance froide et poisseuse. Lily ignorait totalement ce que c'était, et Georgie aussi, probablement. Avant qu'elle ait pu réagir, le film rosâtre se posa sur sa bouche, son nez, ses yeux. Lily cligna des paupières. Le sang avait ralenti dans ses veines, et ses pensées aussi : elle ne ressentait plus qu'une sorte de résignation ahurie.

Mais Peter, qui ne l'avait pas quittée des yeux, intervint aussitôt. Il saisit le chiffon avec lequel il faisait briller les ustensiles de Daniel et frictionna le visage de son amie, ôtant toute la brume rose, avant de jeter avec dégoût le tissu sur le plancher, où celui-ci se mit à grésiller et à noircir.

Son père s'était interrompu au milieu du sortilège de protection qu'il venait juste d'entamer. Il regarda le chiffon brûlé avec horreur.

— Oh, Lily, ma chérie, ça va ? C'était un maléfice de soumission. Pour t'obliger à obéir à Nerissa. Je crois que ta mère a utilisé le sang de Georgie !

— La couleur de ses joues, précisa tristement Lily. Depuis que nous avions commencé à la libérer, elle avait meilleure mine. Cette magie va la tuer ! Georgie ? Georgie ! Tu ne peux pas t'arrêter ?

Les yeux exorbités de Georgie semblèrent fixer Lily pendant une seconde, implorants.

Aide-moi ! cria la voix de sa sœur dans sa tête, effrayée et désespérée. *Elle va me forcer à te faire du mal, et je ne peux rien faire pour m'en empêcher !*

Lily attrapa les mains de sa sœur, et frissonna en les sentant froides comme la mort. C'était comme si les maléfices n'avaient plus besoin du corps de Georgie. Ils suçaient sa vie et sa chaleur. Pourtant, ce corps contenait encore l'âme de sa sœur, quelque part, tout au fond, et c'était elle que Lily devait protéger. Une idée lui vint alors. Si Georgie s'endormait, ou s'évanouissait, les maléfices seraient certainement emprisonnés en elle ! C'était déjà arrivé : quand ils menaçaient de prendre possession d'elle, elle avait parfois volontairement perdu connaissance, afin de ne s'attaquer à personne. C'était ce qui s'était passé près de la fontaine.

— Georgie, dors ! ordonna Lily en projetant sa volonté de toutes ses forces.

Les yeux de sa sœur roulèrent affreusement dans leurs orbites, montrant le blanc, et Georgie s'effondra aussitôt, dans sa hâte de se trouver hors d'état de nuire. Lily la rattrapa de son mieux, et Peter vint l'aider à l'allonger sur le plancher. Lily frotta ses doigts juste au-dessus du visage de Georgie, comme pour saupoudrer un somnifère sur ses paupières violacées, par sécurité. Georgie frémit, esquissa un sourire, et cessa de bouger.

— Nerissa.

Lily n'était pas encore habituée aux différentes nuances de la voix de son père ; malgré cela, la froideur de son ton lui fit un choc. Elle se retourna et vit sa mère debout dans l'allée centrale, entre les fauteuils du théâtre. Elle portait la robe couleur rouille que Lily avait vue dans son rêve, et comme alors, elle souriait.

— Cela fait longtemps que je te cherche, Lily, dit-elle sur un ton beaucoup plus doux que dans son souvenir. Très longtemps.

— Tu veux dire que tu cherches Georgie, croassa Lily d'une voix que la peur rendait stridente.

Sa mère en était-elle arrivée à les confondre ?

— Mmm...

Son murmure remplissait l'oreille de Lily, coulait en elle comme du miel. Jusqu'ici, Maman n'avait jamais pris la peine de séduire Lily. Elle n'avait jamais remarqué sa présence.

— C'est vrai, j'ai d'abord cherché Georgiana. Et bien sûr, c'est Georgiana que j'ai pu suivre, grâce aux maléfices que tu as si obligeamment réveillés. Mais j'aurais dû faire plus attention à toi quand tu étais près de moi, Lily. Peut-être ai-je choisi la mauvaise sœur.

Pendant des années, Lily avait rêvé d'entendre sa mère prononcer ces mots. Elle avait désiré être la préférée, celle à qui Maman accordait toute son attention. Mais elle avait compris à quel point elle avait eu de la chance de grandir ainsi, oubliée. Jamais manipulée. Libre.

— Tu n'auras ni l'une ni l'autre, Nerissa.

Papa se tenait derrière Lily et avait posé les mains sur ses épaules. Aussitôt, la voix si douce de Maman lui parut sirupeuse, et son affection si fausse que Lily se sentit ridicule, et eut honte de constater que les battements de son cœur avaient accéléré.

— Elle est douée, pas vrai ? murmura Henrietta en s'asseyant lourdement sur son pied. Même à moi, elle m'a presque plu, pendant une seconde. Ne t'inquiète pas, Lily. Si je constate que tu retombes sous son charme, je te mordrai.

— Mon cher Peyton, tu as laissé les filles sous ma responsabilité quand tu es inutilement parti jouer les héros... ronronna Maman.

— Et toi, tu as décidé de m'oublier, et d'oublier tout ce que nous nous étions promis, pour t'unir à un groupe de dangereux conspirateurs !

— Des conspirateurs qui vont faire revenir la magie dans ce pays. Qui vont renverser un gouvernement tyrannique et nous restituer notre gloire d'autrefois.

— Notre gloire, c'était de vivre dans le luxe et la paresse en opprimant nos semblables ! rugit-il, furieux.

Elle rit.

— Nos semblables ? Nos semblables, ce sont les magiciens, Peyton, et ils sont tous d'accord avec moi.

— Pas moi ! objecta Lily avec courage.

Sa mère s'approcha de la scène, et Lily entendit sa robe de soie froufrouter sur le sol.

— Mais tu y viendras, Lily, ne t'inquiète pas.

— Non ! cria Lily d'une voix chevrotante. Jamais ! Je sais que la reine n'est pas toujours juste, mais ça ne nous donne pas le droit de la tuer. C'est un crime...

Elle sentait la chaleur des mains de son père sur ses épaules, et l'énergie hésitante mais pleine d'amour qu'il versait en elle. Comme si des racines s'enfonçaient dans le sol et en tiraient une magie forte qu'elles envoyaient le long de branches au-dessus de sa tête, pour la protéger. C'était si différent du sortilège de séduction de sa mère ! Son père lui prêtait sa force, même s'il en avait peu, afin qu'elle l'utilise comme bon lui semblait ; il ne la forçait à rien.

— Ne t'imagine pas que ton père te protégera, Lily. Il n'en est pas capable ; pas contre moi. Il n'a jamais pu me tenir tête.

— Que lui veux-tu ? cria Papa. Tu as déjà fait de Georgie ta marionnette, et maintenant, tu voudrais également Lily ? Je ne te laisserai pas les toucher. Je ne peux rien faire contre votre sordide complot, mais je ne te laisserai pas entraîner les filles dans cette folie !

Son épouse le toisa.

— Mon cher, tu peux garder Georgiana, ou du moins ce qu'il en reste, avec ma bénédiction. C'est celle-ci que je veux. C'est ma fille, bien plus que la tienne. D'où crois-tu qu'elle tire son courage et sa force ? Pas de toi !

Lily sentit Argent frémir derrière elle ; juste une vibration dans la magie qu'il dégageait et à laquelle elle était désormais habituée. Elle comprit qu'il était réveillé, et qu'il écoutait, en attendant de voir ce qui allait se passer. Et il n'était pas d'accord. Elle entendait les notes discordantes au milieu du grondement furieux qui résonnait dans sa tête. Si, le pouvoir de Lily lui venait de son père, du sang Fell qu'il lui avait transmis, et non de sa mère. Lily se sentit considérablement soulagée. L'étau qui enserrait sa poitrine se détendit un peu, alors même que sa mère faisait un autre pas en avant, sa chevelure noire crépitant de magie. Elle semblait plus grande, et terriblement effrayante.

Nous avons quelque chose qu'elle n'a pas, se rappela Lily. *Nous avons un dragon. Et j'ai Georgie, et Peter, et Daniel, et Papa, et Nicholas, et Mary, et toute la troupe du théâtre. Ils m'aiment pour moi, et pas parce que je pourrais leur faire du mal.*

Néanmoins, tu pourrais, Lily, lui répondit Argent dans sa tête. *Tu n'as pas encore pris la mesure de tes capacités. Lâche la bride à ta magie. Je suis là, et je t'aiderai si nécessaire, mais tu n'as pas autant besoin de moi que tu le crois.*

— Je vais extraire les maléfices de Georgiana. Elle était trop faible, comme les autres. J'aurais dû m'en douter. J'espérais... Que de temps gâché, avec les trois premières. Mais celle-ci... (Nerissa Powers ronronnait presque en regardant Lily.) C'est l'enfant que j'aurais dû avoir dès le début. Ma véritable fille.

— C'est faux ! cria Lily, soudain si furieuse qu'elle en oublia sa peur. Je ne te ressemble pas !

Mais déjà, sa mère gravissait les marches qui menaient sur scène, et Lily se rendit compte que Papa, Peter, Daniel et même Argent étaient paralysés. Ils ne pourraient pas l'arrêter.

— Tu ne peux pas ôter les maléfices de Georgie d'un seul coup, supplia Lily, la voix tremblante. Nous avons essayé ; tu le sais, puisque c'est comme ça que tu nous as trouvées. C'était trop douloureux. Si nous avions continué, elle serait morte. Il faut le faire progressivement.

— Bien sûr. Elle est tellement faible ! (Maman sourit.) Mais toi, tu ne l'es pas, Lily, ma chérie. Et je n'ai plus de temps à perdre.

— Elle compte transférer les maléfices en toi... grogna Henrietta en se pressant contre la jambe de Lily. Recule, Lily. Va-t'en : je la retiendrai. Cours !

— Mais si elle les arrache à Georgie, elle va la tuer. Elle ne va pas faire ça ! Pas à sa fille !

— Bien sûr que si. Elle l'a fait aux autres, non ? Et t'injecter les maléfices risque de te tuer, toi aussi. Ce qui ne serait pas forcément pire que ce qu'elle mijote, cela dit. File, Lily !

Nerissa Powers rit, d'un rire grinçant qu'elle n'avait pas pris la peine de maquiller.

— Si j'étais toi, je ne m'y risquerais pas, ma chérie. Tu n'iras pas loin, même avec l'aide de ce petit chien. De toute façon, tu n'as rien à craindre. Je suis presque certaine que tu es assez forte pour survivre au transfert. (Elle sourit, d'un sourire qui étira ses lèvres sur ses dents.) Et dans le cas contraire, au moins, j'aurai essayé... Il y a d'autres enfants, bien sûr, mais je voulais tant que l'un des acteurs de la prophétie soit ma fille. Ma descendance pourrait être tellement plus puissante que ces orgueilleuses jumelles Dysart... C'est notre famille qui devrait faire revenir la magie !

Ses yeux brillaient d'excitation. Elle revint soudain au présent :

— Mais il me reste si peu de temps. À peine quelques jours. Il faut que ça marche tout de suite.

Elle tourna brusquement le dos à Lily et se pencha sur Georgie, les mains tendues, comme pour saisir une brassée de fils et les arracher.

— Non ! cria Papa.

Il poussa Lily sur le côté et bondit en avant. Mais son épouse se contenta de sourire, et de lever une main pour l'arrêter.

— Tu ne le feras pas. Tu le sais bien...

Sa voix chantante se lovait autour de lui comme une musique, et à l'expression de son père, Lily comprit à quel point il avait aimé Nerissa... et à quel point il l'aimait encore. Car il s'arrêta, les mains toujours levées, amorçant le geste de repousser sa femme loin de sa fille ; mais malgré ses efforts, il ne parvint pas à faire le dernier pas qui le séparait d'elle, craignant de lui faire du mal.

Pourtant, quand leur mère se pencha et attrapa Georgie par les cheveux pour la soulever comme une poupée de chiffon, il se rua enfin sur elle.

Hélas, il avait trop attendu. Il avait eu peur de la blesser, mais elle ne partageait pas cette crainte. L'explosion de magie qu'elle projeta avec négligence fut si forte que Lily en fut éblouie, et vit pendant plusieurs secondes des taches et des points lumineux, comme lorsque Daniel les avait emmenées assister à un feu d'artifice au-dessus de la Tamise, un soir.

Papa hoqueta et s'écroula, et Nerissa se détourna de lui sans même attendre de le voir tomber. Elle se pencha à nouveau sur Georgie, et quand Lily courut la défendre, sa mère agrippa tout simplement son poignet dans sa main de fer. Lily se débattit, donna des coups de pied, et alla jusqu'à essayer de la mordre, mais sa mère ne sembla même pas s'en apercevoir. Elle enserra Lily dans son bras et attira son visage vers Georgie, afin que cette dernière souffle les maléfices vers sa sœur. Lily avait l'horrible certitude que ce serait son dernier souffle.

— Non !

Elle tordit le bras de sa mère et détourna le visage. Henrietta saisit le col de la robe de Georgie avec ses crocs et essaya de la tirer loin de là. Malheureusement, Georgie, même aussi maigre et malade, était trop lourde pour une si petite chienne.

Le pire de tout était la manière dont Maman les ignorait, se dit Lily tandis que sa peur revenait et que le temps semblait ralentir, comme dans un rêve. Leur mère se moquait que Georgie ait l'air à moitié morte, que Lily hurle, et que le père de ses enfants perde son sang, étendu sans vie sur le plancher. Tout ce qui l'intéressait, c'étaient les maléfices. Et elle comptait bien les récupérer. Personne ne pouvait l'arrêter.

Argent aurait voulu les aider, mais il était trop gros pour se mêler à la bataille sans risquer d'écraser Lily et Georgie. Renonçant à se faire passer pour un élément du décor, il s'était redressé et tordait le cou dans tous les sens en sifflant comme un énorme serpent, avançant sa tête par à-coups, mais ne trouvait aucun moyen d'intervenir. Nicholas, qui avait surgi des coulisses, essayait visiblement de jeter un sort à Nerissa, mais dans son épouvante, il n'arrivait qu'à faire jaillir des étincelles et à se brûler les doigts. Daniel et Peter se tenaient derrière lui et assistaient à la bataille avec horreur ; cependant, ils n'avaient aucun pouvoir surnaturel, et Nerissa les aurait écrasés comme des mouches.

Si seulement Rose n'était pas partie ! pensa Lily tout en poussant une longue plainte tandis que sa mère la forçait à ouvrir la bouche d'une main, et tirait Georgie par les cheveux de l'autre, pour hisser son visage. Personne ne pouvait intervenir. Elle ressentait encore la brûlure du sortilège qui avait terrassé son père, mais par-dessus, elle percevait la froideur de la magie que sa mère invoquait pour arracher les maléfices de Georgie. Une magie si dévastatrice qu'il était impossible que Georgie y survive. Les maléfices entraîneraient avec eux tout le reste, et il ne resterait plus de sa sœur que de la poussière et des os.

Lily ne pouvait rien faire. Nul ne pouvait rien faire. Les maléfices allaient l'envahir, et même s'ils n'étouffaient pas son âme, elle serait enfouie tout au fond d'elle. Une obscurité veloutée recouvrit les yeux de Lily, et elle se résigna. Résister ne servait plus à rien.

Pourtant, quelque chose la fit brutalement revenir à la réalité. Lily ne devina pas tout de suite ce qui avait produit ce bruit, ou plutôt cette succession de bruits : d'abord une détonation violente, puis un sifflement. Sa mère lâcha prise ; Lily tomba par terre et releva péniblement la tête pour comprendre ce qui s'était passé.

Debout devant Maman, Peter tenait des deux mains le pistolet qui devait servir au numéro de Daniel. Lily s'était trompée à son sujet. Il n'avait certes pas de pouvoirs magiques, mais cela ne signifiait pas qu'il ne pouvait pas agir.

Avait-il réellement tiré sur leur mère ? Elle s'était protégée contre les sorts, mais peut-être pas contre les balles...

Nerissa avait à nouveau laissé tomber Georgie, et elle se tenait le bras. Lily vit une tache de sang s'élargir sur la manche de sa robe. Mais ce n'était qu'une blessure superficielle, qui ne l'arrêterait pas longtemps.

Peter la regarda d'un air de défi. Il n'y avait qu'une seule balle dans le pistolet, et à présent qu'il l'avait tirée, il ne pouvait rien faire d'autre que la toiser.

Lily cria en voyant sa mère lever les mains et la fureur étincela dans ses yeux. Reconnaissait-elle en Peter le valet muet qui avait habité pendant des années à Merrythought ? Rien n'était moins sûr ; et même si tel avait été le cas, cela n'aurait rien changé. Le garçon ne représentait pour elle qu'une gêne, un moustique qu'il fallait écarter. Une nouvelle éruption de magie le projeta hors de la scène, et Lily, qui sanglotait, le vit disparaître dans la salle.

— Nerissa Powers !

Profitant de cette intervention, Lily essaya de se redresser et de s'enfuir, mais la magie de sa mère l'enserra comme dans un filet et la maintint plaquée contre le sol. Néanmoins, elle sauta intérieurement de joie en voyant Rose faire irruption dans un élégant manteau gris, avec Gus qui trottait à ses côtés. Rose était certainement assez puissante pour venir à bout de leur mère !

Du coin de l'œil, Lily vit Daniel s'approcher sur la pointe des pieds, prendre Georgie dans ses bras, et l'apporter à Argent, qui s'agitait comme un lion en cage au fond de la scène, en soufflant de la vapeur brûlante telle une bouilloire furibonde. Le dragon prit Georgie avec tendresse dans une patte et poussa Daniel derrière lui, le mettant hors de danger.

Rappelle-toi à quel point tu es forte, Lily ! lui dit-il silencieusement. *Défends-toi ! Si je peux intervenir sans risquer de vous blesser, je le ferai !*

Lily se débattait, mais plus elle s'agitait, plus le filet invisible la brûlait, d'une brûlure glaciale qui entamait même la magie en elle. Elle ne pouvait pas bouger sans se faire mal, et quand elle tentait de faire jaillir ses pouvoirs, le filet lui marquait la peau comme au fer rouge. Étourdie, sur le point de vomir, elle s'immobilisa.

— Vous ne méritez pas ces enfants, décréta Rose avec colère en s'approchant de Lily pour l'aider à se relever.

Nerissa se contenta de rire.

— Je veux simplement qu'elles puissent vivre dans un monde meilleur, débita-t-elle de sa voix chantante.

Lily se rendit compte qu'elle ne croyait pas elle-même ce qu'elle disait. Elle ne se battait pas pour que la magie revienne : ce n'était qu'un prétexte. En réalité, elle aimait utiliser la magie noire. Elle aimait le chaos, la peur qu'elle provoquait chez les autres. Avec ces armes, elle aurait pu commander au pays tout entier. Lily frissonna. Peut-être était-ce là ce que voulait sa mère : le pouvoir, tout simplement.

Rose tressaillit quand le filet invisible lui brûla les doigts, et la mère de Lily profita de cette seconde de distraction. Elle envoya toute sa puissance dans le filet, qui devint si chargé que soudain, tout le monde put le voir, enroulé autour de Lily comme une toile enflammée. Il mordit la main de Rose et commença à aspirer sa magie. La vieille magicienne voulut réagir, mais plus elle se débattait, plus le sortilège absorbait son énergie. Gus tournait autour de ses chevilles en miaulant frénétiquement. Elle finit par tomber à genoux, tandis que Lily la soutenait de son mieux.

Nerissa sourit.

— Ma pauvre Lily. Croyais-tu qu'elle allait te sauver ? Cette vieille femme ? Qu'y a-t-il ? demanda-t-elle soudain en fronçant les sourcils.

En effet, le regard de Lily s'était dirigé au-delà de sa mère, vers le fond de la scène, et ses yeux s'étaient écarquillés. Argent venait de se redresser sur ses pattes arrière et avait déployé ses énormes ailes qui remplissaient tout l'espace au-dessus du plateau. Il abattit les replis argentés sur toutes les personnes présentes, les enfermant sous un cocon étincelant.

Sans s'en apercevoir, la mère de Lily avait écarté tout ce qui la protégeait. En clouant Lily et Rose au sol, elle était restée isolée, et le dragon pouvait désormais l'attaquer sans craindre de blesser quelqu'un d'autre.

Elle hurla en le voyant fondre sur elle à une vitesse phénoménale, produit de sa magie et de sa colère. Argent l'avait vue s'en prendre à Lily, à Georgie, à Peyton, et à Rose, qui étaient tous liés à lui par leur sang, et tenait enfin sa revanche. Ses griffes frappèrent le sol avec une telle force qu'elles firent des trous dans le plancher, et quand il fut sur elle, il la souleva dans ses énormes mâchoires, comme un chat porte une minuscule souris dans sa gueule.

Noooon ! rugit une magie furieuse, une magie de feu. *C'en est assez !*

Lily sentit à quel point il était en colère, et devina son intention. Cette femme avait blessé tous ceux qu'il aimait : il voulait la mordre, la griffer, la déchirer en morceaux. Il voulait la tuer.

Mais pas Lily.

SIX

— Non ! cria Lily. Ne la mange pas ! Nous ne pouvons pas faire ça. Si nous le faisions, nous serions des meurtriers.

— Elle voulait te tuer ! aboya Henrietta. Enfin, elle aurait pu, si les maléfices avaient été trop forts. Et elle aurait achevé Georgie, sans l'ombre d'un doute.

Elle regarda Peyton Powers, effondré sur le plancher, et ajouta doucement :

— Peut-être a-t-elle abattu ton père. Et je ne vois même plus Peter.

— Je sais... mais justement. Je ne veux pas être comme elle.

Argent secoua la femme inerte dans sa gueule et grogna :

— Tu es bien trop gentille. Elle n'aurait pas hésité une seconde à te supprimer. Ton père ne voulait pas lui faire de mal, Lily, et elle l'a à moitié tué.

— À moitié ? répéta Lily d'une voix tremblante.

— Il est vivant, admit le dragon, presque à contrecœur tant il avait envie de déchirer cette femme en morceaux. Rose aussi, mais ils ont bien failli y passer. Ils seront tous les deux très affaiblis pendant un certain temps.

— Où est Peter ? demanda Daniel qui s'était avancé, le pistolet à la main. Je l'ai vu tomber...

Lily ferma les yeux. Elle ne voulait pas revoir sa chute, lente et inexorable. Cela lui rappelait le jour où Peter avait glissé du dos d'Argent, et où elle l'avait cru perdu. Cette fois, il l'était certainement. La magie de sa mère avait terrassé deux puissants magiciens. Quelle chance un jeune garçon ordinaire avait-il d'y survivre ?

— Il est tombé de la scène, derrière les lampes à gaz, chuchota-t-elle.

Elle leva les yeux sur Argent et lâcha d'une voix amère :

— Je retire ce que j'ai dit. Tu peux la manger. Je m'en moque.

Henrietta la regarda avec ses grands yeux noirs enfoncés entre les rides de son visage.

Elle aimait Peter. Elle appréciait ses manières tranquilles mais résolues, la façon lente et méthodique qu'il avait de faire des choses. Il comprenait presque la petite chienne, même si, comme Argent, elle n'avait pas de lèvres dont il puisse lire le mouvement. Elle avança d'un pas lourd vers le bord de la scène et regarda les rangées de fauteuils en velours.

— Je ne vois rien, murmura-t-elle tristement.

— Tu veux dire qu'il n'en reste *rien du tout* ?

Lily étendit délicatement Rose sur le plancher et rejoignit Henrietta pour scruter la salle. Une telle atmosphère d'attente anxieuse flottait dans l'air qu'il était facile de s'imaginer que les fauteuils étaient tous occupés. Mais cette fois, il ne s'agissait pas d'un tour de prestidigitation. Daniel ne s'apprêtait pas à révéler que son jeune assistant se trouvait derrière un rideau de velours, ou qu'il était miraculeusement à nouveau en un seul morceau, ou qu'il allait surgir d'une trappe secrète...

... ou qu'il attendait tout simplement au fond de la salle.

Lily fixa son regard sur la silhouette qu'elle distinguait à peine dans le noir. Il y avait quelqu'un debout derrière les derniers fauteuils, dans une posture hésitante. Elle se figea en voyant cette personne avancer d'un pas chancelant sur le tapis usé. Et soudain, elle poussa un grand cri de joie et sauta à pieds joints de la scène pour se jeter dans les bras de Peter.

— Je te croyais mort ! Nous avions peur qu'elle t'ait désintégré ! Comment as-tu survécu ?

Il haussa les épaules, encore un peu ahuri. Il était très pâle, mais indemne. Lily le tira vers la scène.

— Les sortilèges de l'institut Fell, tu te rappelles ? expliqua Henrietta, du haut du plateau, en pressant son nez froid contre la main de Lily et en agitant la queue. Il est immunisé contre la magie, maintenant. C'est le dragon qui nous l'a dit, quand Peter a traversé le sortilège de protection de ton père.

— J'avais oublié, reconnut Argent avec surprise.

Sa voix était étouffée : il portait toujours une sorcière évanouie entre ses dents. Il la secoua un peu, ravi de sentir son corps inerte pendre de sa gueule, et Lily frissonna. S'ils ne décidaient pas quoi faire d'elle rapidement, il finirait forcément par la manger.

Peter l'aida à remonter sur la scène, et elle le tira à son tour.

— Ne me refais jamais une peur pareille, Peter. On dirait que tu as pris l'habitude de nous sauver. Je ne me plains pas, bien sûr, mais si ça continue, il risque de t'arriver quelque chose. Avais-tu deviné qu'elle ne pourrait pas te tuer par magie ?

Peter haussa à nouveau les épaules. Il s'assit près du père de Lily, desserra l'écharpe de soie que l'homme portait autour du cou à la manière d'une cravate, et l'éventa doucement de la main. Puis il chercha son carnet et écrivit :

Pas réfléchi. Je la déteste. Désolé, mais c'est vrai. Je ne pouvais pas la laisser te faire la même chose qu'à G.

— Moi aussi, je la déteste, avoua Lily.

Étrangement, elle se sentit mieux. Certes, on n'était pas censé détester sa propre mère ; mais d'un autre côté, la plupart des mères ne transformaient pas leurs enfants en moyens de destruction.

— Qu'allons-nous en faire ?

Il ne peut pas nous en débarrasser ? suggéra Peter en désignant Argent du menton.

— Avec grand plaisir ! répondit celui-ci.

— C'est tout de même ma mère. Je sais que j'ai dit qu'il pouvait la manger, mais je ne peux pas le lui demander...

— Tu n'as pas besoin de me le demander !
Choisis vite, Lily. Elle déborde d'une magie délicieuse. Une magie noire, comme le chocolat
que Daniel m'a acheté. Forte, et un peu amère...
Décide-toi.

Lily regarda éperdument autour d'elle. Si seulement son père, ou Rose, ou même Georgie
avait pu l'aider à prendre sa décision ! Hélas,
ils étaient tous les trois inanimés à la suite de
ce duel magique. Daniel avait repris Georgie
dans ses bras et l'examinait, inquiet. Les machinistes et quelques artistes ayant commencé à
revenir à petits pas prudents, il leur ordonna
de porter Rose et Peyton dans leurs chambres
respectives.

Non, aucun magicien ne pourrait lui donner
de conseil. Il allait falloir qu'elle prenne une
résolution toute seule. Lily regarda la princesse
Jane se pencher sur Rose, un flacon de sels à
la main, et réfléchit. Jane avait été enfermée à
l'institut Fell pendant si longtemps. N'était-ce
pas ce qu'on faisait d'habitude avec ceux dont
on voulait se débarrasser, mais qu'on ne pouvait se résoudre à éliminer ? On les emprisonnait pour toujours...

Néanmoins, cela semblait tout aussi cruel.
Lily se frotta les yeux avec lassitude. La mort

ne valait-elle pas mieux ? D'un autre côté, sa mère avait tué tant de monde, à commencer par ses deux filles aînées. Peut-être que la cruauté n'aurait été que justice...

Henrietta lui frôla la jambe avec affection, et Lily la prit dans ses bras pour frotter sa joue contre la fourrure toute douce.

— Je ne sais pas quoi faire, avoua-t-elle.

— Je n'ai pas d'idées, moi non plus. Pas de bonnes idées, en tout cas. J'imagine que ce serait compliqué de la renvoyer à Merrythought et de l'enfermer là-bas ?

— Pourquoi pas... Oh ! s'exclama soudain Lily. Merrythought ! Le tableau, Henrietta, celui d'où tu viens ! Regarde...

Elle avança vers l'arrière-scène, suivie par Peter. Argent tourna la tête dans la même direction, intrigué.

Lily désignait la toile de fond que l'on utilisait pendant le numéro de danse du spectacle. Le ballet s'inspirait d'un thème romantique, celui de *La belle au bois dormant,* avec une nouvelle musique d'un compositeur dont Lily n'arrivait pas à retenir le nom. Le décor qui l'accompagnait représentait une forêt de roses et de ronces devant un château, si bien peint que les murs de pierre et les tours avaient l'air presque solides et semblaient continuer vers l'espace vide derrière le plateau. Lily pointait une tour du doigt.

— Regarde, là, dans la fenêtre... tu vois ?

— Non, dit platement Henrietta en examinant l'ouverture noire peinte au sommet de la tour. Il n'y a rien du tout !

— Mais il *pourrait* y avoir quelqu'un... Argent, tu vois ce que je veux dire ? J'ai fait sortir Henrietta d'un tableau avec mon premier sortilège : j'avais essayé de la dessiner, et elle a pris vie. Est-ce que, à l'inverse, on peut faire entrer quelqu'un dans un tableau ?

Le dragon soupira bruyamment, ce qui envoya des rubans de fumée autour de la fenêtre vide.

— Oui, je suppose... Cette idée me plaît assez. Pas autant que la manger, je l'admets, mais ça a un certain charme.

— Tu veux installer ta mère dans mon décor ? s'exclama Daniel, choqué.

— Oui, si j'y arrive...

— Mais Lily, nous réutilisons ces toiles. Quand les numéros changent, nous peignons par-dessus. Celle-ci ne représentera pas éternellement une tour.

Lily se mordit la lèvre inférieure, en réfléchissant.

— Je crois que même si vous peignez autre chose, ma mère sera toujours là. Je t'en prie, Daniel. Je ne sais pas quoi faire d'elle. L'enfermer dans une peinture n'est peut-être pas l'idéal, mais au moins, elle pourra regarder le spectacle...

Elle éclata d'un rire hystérique. Peter lui adressa un regard soucieux, et Henrietta, bien moins patiente, lui mordilla la cheville :

— Arrête, Lily !

— Désolée...

— Bon, d'accord, accepta Daniel de mauvaise grâce en déposant doucement Georgie dans les bras robustes de Sam, le chef machiniste. Mais je te préviens, si elle jette des sorts aux danseurs, je brûlerai la toile, c'est compris ?

— Mieux vaut ne pas leur en parler, lui conseilla Henrietta. Vous êtes tous bien assez superstitieux comme ça.

— Dépêchez-vous, grogna Argent. Elle commence à remuer, et je sens que sa magie se réveille.

Lily courut vers les pots de peinture et les pinceaux entassés dans un coin, et Peter installa une échelle. Daniel et lui se tinrent de chaque côté pour la stabiliser quand Lily y grimpa. Elle s'efforça de trouver son équilibre et d'ignorer son vertige. Elle avait volé à dos de dragon ;

comment pouvait-elle avoir peur à cette hauteur si faible ?

— Soulève-moi, ordonna Henrietta à Daniel en prenant un air important. Lily a besoin de mon aide : je m'y connais, puisque je suis un tableau moi-même.

La petite chienne s'installa autour des pieds de Lily, les yeux fixés sur la toile sombre, tandis que Lily essayait de faire surgir la magie en elle. Après la bataille, celle-ci semblait s'être tapie au plus profond d'elle : Lily se sentait vide et endolorie. Mais cet enchantement représentait le meilleur moyen de protéger Georgie, et de se protéger elle-même. Il fallait que ça marche ! Les yeux fermés, elle essaya de se remémorer toutes les années qu'elle avait passées à Merrythought. L'empressement avec lequel elle se cachait quand elle entendait le pas de sa mère. La terreur de Georgie quand les maléfices avaient commencé à l'envahir. Marten, que Maman avait envoyée à leur poursuite. Elle sentit sa magie s'ébranler mollement en elle, et serra son pinceau avec force en priant pour qu'elle réponde à son appel.

— Ne bouge pas, petite, murmura Argent. Attention de ne pas tomber. Voilà. Est-ce mieux ainsi ?

Lily risqua un coup d'œil vers le bas. Argent avait recraché sa mère, qu'il emprisonnait désormais sous une énorme patte griffue, et avait allongé son long cou de manière à placer sa tête près de l'échelle. Ses grands yeux noirs étincelants plongèrent dans ceux de Lily, et soudain, elle ressentit une vague d'énergie qui la tira vers le haut, comme dans ces rêves étranges qu'elle faisait, petite, où elle était certaine qu'elle aurait pu sauter du haut de l'escalier et flotter jusqu'en bas. L'intensité de la magie qu'Argent lui insufflait lui fit tourner la tête, mais c'était un étourdissement excitant, extraordinaire : à présent, tout lui semblait possible.

Le pinceau frémit et s'agita dans ses doigts. Peter lâcha un instant l'échelle pour lui tendre un pot de peinture. Il avait l'air perplexe, comme s'il pensait que quelqu'un lui avait demandé de le faire, sans savoir qui.

Lily trempa les poils du pinceau dans la peinture et le posa sur la toile. Il sembla prendre vie, courant d'un endroit à l'autre.

— Des couleurs... murmura Lily. Il faut des couleurs...

Elle pensa aux cheveux sombres de sa mère, à sa robe rouge orangé, à la pâleur laiteuse de sa peau, et sentit le pinceau ralentir dans sa main,

139

hésitant. Elle se rappela alors la boîte à peinture qu'elle avait eue à Merrythought. Elle avait dû appartenir autrefois à une jeune demoiselle de la famille Powers, à qui on enseignait l'art de l'aquarelle dans la salle de classe. Lily l'avait dénichée au fond d'une étagère, couverte de poussière, les gonds rouillés et les tubes complètement secs, à peine tachés de peinture autour des bouchons. Mais elle avait appris par cœur le nom des couleurs que contenait la boîte. Elle avait passé des jours et des jours à les déclamer : ayant faim de cette magie que sa mère réservait à Georgie, elle avait trouvé à l'époque – et trouvait encore aujourd'hui – que cela ressemblait à une formule magique.

— *Cramoisi d'alizarine, blanc lunaire,*
Noir de lampe, viridien,
Rouge garance et jaune de Perse,
Caput mortuum...

Elle continua à les réciter, laissant le pinceau danser entre ses doigts. Une chaleur délicieuse l'envahissait : le sentiment qu'un sortilège compliqué agissait comme prévu. Elle s'interdisait de penser à ce qu'elle était en train de faire : il n'était pas question de tergiverser, de s'angoisser, sinon cela ne marcherait pas.

— *Caput mortuum...*

Un des peintres du décor lui avait raconté que ce terme voulait dire « tête de mort », car on fabriquait cette couleur autrefois en broyant des cadavres de personnes mortes des milliers d'années plus tôt et conservées dans des bandages. Il les avait appelés des « momies ». Lily n'était pas sûre de le croire. « Momie » ressemblait un peu à « Maman » Non, il ne fallait pas qu'elle y pense.

— *Caput mortuum*, répéta-t-elle en forçant le pinceau, qui ne lui obéissait plus, à retourner sur la toile. *Bouton d'or. Violine. Cuisse de nymphe !*

Qu'avait fait Maman à Rose ? Qu'importe : elle devait continuer, même si condamner sa propre mère à une prison peinte s'avérait plus difficile que prévu.

— *Vert opaline, indigo, auréolin, outremer !*

Lily fut parcourue d'un tremblement. Elle lâcha le pinceau et flageola du haut de son échelle. Henrietta se mit à aboyer, mais Lily ne tomba pas : le dragon l'avait rattrapée au vol. Lily remarqua qu'il avait utilisé la patte dans laquelle il avait tenu Nerissa jusqu'ici.

— Où est Maman ? s'affola-t-elle. Tu ne l'as pas lâchée, j'espère ?

— Regarde, lui répondit-il avec un grondement satisfait. Ton sortilège a réussi. Je persiste
à croire qu'elle méritait d'être dévorée, mais tu
as fait de la bonne magie, Lily. Un tour d'une
puissance remarquable.

Lily se retourna entre ses griffes et leva les
yeux.

— Elle est là ? Oh...

Sa mère se tenait debout derrière la fenêtre,
et regardait en direction de la scène. Lily s'était
attendue à ce qu'elle ait l'air furieuse, à ce
qu'elle semble vouloir déchirer la toile de ses
ongles nus afin de se libérer. Or, loin de là, son
visage était paisible, presque rêveur. Ses yeux
peints étaient dépourvus de l'éclat furieux qu'ils
avaient toujours eu dans la réalité, et la main
posée sur le parapet de pierre était détendue.

— On dirait qu'elle est heureuse...

Argent cracha une petite flamme satisfaite.

— Elle n'a plus besoin de lutter. Je dois
admettre que tu as bien agi, Lily.

Henrietta sauta du haut de l'échelle dans les
bras de Lily.

— Parfait. Une de moins. Combien en reste-
t-il ?

SEPT

Les paroles d'Henrietta résonnèrent dans l'oreille de Lily toute la journée, pendant qu'elle arpentait les couloirs tortueux du théâtre, allant de sa chambre, où Georgie était recroquevillée dans le lit, à celle de son père, avec des visites occasionnelles à Rose. C'était Jane qui s'occupait de cette dernière, avec une satisfaction visible : elle avait expliqué à Lily que pour une fois, elle se sentait utile, à veiller sur Rose tout en cousant quelque chose pour Maria.

Les deux adultes avaient brièvement repris connaissance, mais ils étaient très atteints, trop épuisés pour faire quoi que ce soit. Lily avait espéré que son père pourrait reformer la tapisserie afin qu'elle puisse continuer à débarrasser Georgie des maléfices, mais il était trop faible. Quant à Georgie, elle ne s'était pas encore réveillée : elle devait rêver, car elle remuait dans le lit et gémissait. Lily laissait Henrietta auprès d'elle chaque fois qu'elle quittait la pièce.

Combien de conspirateurs y avait-il en tout ? Leur mère avait parlé d'autres enfants destinés à accomplir la prophétie, probablement préparés de la même manière que Georgie. Elle avait même mentionné les jumelles Dysart, Cora et Penelope, qui avaient trahi Lily et Georgie et s'étaient débrouillées pour les faire envoyer à l'institut Fell. Nerissa avait également avoué qu'elle n'avait pas beaucoup de temps. Le coup d'État devait être prévu pour bientôt. Mais quand, précisément ? En y pensant, Lily sentait sa gorge se nouer de terreur. Comment allaient-ils l'arrêter ? Et si la tentative de meurtre avait lieu aujourd'hui même ? Nul n'en savait rien. Or, si la reine était assassinée, personne ne croirait plus jamais que la magie était positive.

Le lendemain de la bataille contre Maman, Lily laissa Henrietta somnoler près de Georgie pour monter sur la scène. Elle s'assit sur un rouleau de corde près de la tour peinte. La toile était désormais sèche, et avait été rangée avec les autres dans l'attente de la représentation du soir, mais Lily voyait encore le haut de la tour et un bout de la fenêtre. Sa mère contemplait le paysage féerique auquel elle appartenait désormais. Lily était certaine qu'elle voyait bien plus que l'arrière de la toile rangée juste devant elle.

— Je ne devrais pas te parler, au cas où ça te donnerait des idées... murmura-t-elle. Mais Daniel est tout le temps occupé, et Peter aussi, maintenant.

Daniel et Sam avaient embauché le garçon muet comme nouveau machiniste après que le père de Lily leur avait montré les appareils et mécanismes qu'il inventait dans son petit carnet. Il passait désormais son temps à courir derrière Sam, avec toutes sortes d'outils dont Sam avait besoin sans le savoir.

— De toute façon, c'est parfois difficile de bavarder avec lui : il doit toujours tout écrire, ça le rend si sérieux... J'aimerais tant savoir quoi faire, maintenant. Tu nous as laissé entendre que le temps était compté. Tu sais ce qui doit se passer, n'est-ce pas ? Les autres ne semblent pas comprendre à quel point c'est important. Il faut agir tout de suite, et faire échouer ce complot. Mais je ne sais pas comment m'y prendre !

Elle soupira avec colère, et cacha sa tête dans ses bras croisés.

— Lily !

Un cliquetis frénétique de pattes se fit entendre, et Henrietta accourut sur scène en dérapant.

— Viens vite !

— Que se passe-t-il ? Georgie s'est réveillée ?

— Non. Elle dort toujours. Enfin, je crois.

— Comment ça, tu crois ?

Henrietta haussa les épaules, avec une expression soudain très humaine.

— Ses yeux sont ouverts. Et elle est sortie de la chambre. Mais je ne crois pas qu'elle soit réveillée.

— Elle est sortie ? cria Lily. Où est-elle allée ? Emmène-moi !

— C'est ce que j'essaie de faire ! Par ici. Elle ne marchait pas très vite.

Elle repartit au trot, truffe au sol, vers les couloirs sur lesquels donnaient les loges des acteurs et les ateliers.

— Elle est allée plus loin que je ne le croyais. Nous approchons... Ah !

Elles venaient de découvrir Georgie. Celle-ci, en chemise de nuit, tirait la poignée d'une porte qui menait vers une impasse derrière le théâtre.

— Georgie, que fais-tu ? s'exclama Lily en s'approchant.

Elle prit sa sœur par le bras, mais celle-ci l'ignora totalement. Elle ne semblait même pas sentir la main de Lily. Elle continua à tâter les verrous, à secouer les chaînes, à passer les doigts sur la serrure. Lily se plaqua contre le battant pour étudier son visage. Henrietta lui avait dit que Georgie dormait toujours, mais elle devait s'être trompée. Si cela avait été le cas, sa sœur se serait cognée aux murs ! Lily revoyait Georgie errant dans les couloirs de Merrythought, perdue dans ses pensées et dans sa magie, toujours si pâle et si distraite... Henrietta avait dû prendre cet état pour du somnambulisme.

Toutefois, quand elle fixa Georgie dans les yeux, elle n'y trouva rien. Aucune vie, aucun signe que la jeune fille distinguait quelque chose.

— Tu vois ? insista Henrietta. Elle dort encore. Ou elle est hypnotisée. Appelle ça comme tu veux.

— Elle essaie de sortir. Où veut-elle aller ?

Henrietta examina Georgie, qui tâtait la serrure des deux mains, comme pour comprendre de quoi il s'agissait.

— Ce n'est pas elle, n'est-ce pas ? Ce sont les maléfices qui l'animent. La question est donc : où veulent-*ils* aller ?

— Ça a commencé, donc, chuchota Lily.

Elle ne voulait pas parler à voix haute : il s'agissait de haute trahison, et par conséquent, elle devait chuchoter, même s'il n'y avait personne dans les alentours.

— Le complot s'est mis en route. Les maléfices veulent la forcer à faire quelque chose. Ils ont un but et ils la manipulent...

— Ne parle pas de moi comme ça, protesta Georgie.

Lily sursauta.

— Georgie ! Tu es réveillée ?

— Qu'est-ce que je fais ici en chemise de nuit ? demanda avec effroi sa sœur, qui venait de réaliser qu'elle n'était pas dans sa chambre. Lily, que se passe-t-il ? (Ses pupilles se dilatèrent brusquement.) Maman ! Elle arrive ! Elle est en chemin. Nous devons nous cacher. Ou nous battre. Mais je ne crois pas pouvoir lui résister, Lily !

Ses yeux commencèrent à rouler dans leurs orbites, comme la veille. Lily la secoua.

— Attends ! Tu ne sais pas... Georgie, tu es sans connaissance depuis hier matin. Quand Maman est arrivée, et que tu as constaté que tu ne pouvais pas contenir les maléfices, je t'ai aidée à t'endormir, pour que tu ne puisses pas nous faire de mal, ni rejoindre Maman.

Georgie la regarda avec crainte, puis l'attrapa par le bras.

— Et que s'est-il passé ? Tout le monde est sain et sauf ? Qu'a-t-elle fait ?

— Montre-lui, conseilla Henrietta. Sinon, elle ne te croira pas.

Lily prit Georgie par la main.

— Viens voir. Papa et Rose se sont battus contre Maman, et ils sont très affaiblis. Elle a déclenché d'incroyables explosions de magie. Elle n'arrêtait pas de provoquer Papa, de prétendre qu'il n'oserait pas la toucher, et au début, en effet, il n'a pas pu s'y résoudre. À la fin, alors qu'il était sur le point de le faire, elle a attaqué la première. Ensuite, elle m'a emprisonnée dans un filet magique, et quand Rose a voulu me porter secours, le filet a absorbé toute son énergie. La magie de Maman était sournoise. Méchante, en fait. Puissante, aussi, mais elle utilisait nos sentiments pour nous manœuvrer. Et nous l'avons laissée faire.

— *Était* ? répéta Georgie d'une petite voix pleine d'espoir. Elle ne l'est plus, alors ? Lily, tu veux dire que tu as gagné ? Comment as-tu fait ?

— Nous avions un dragon, pas vrai ? Au début, il ne pouvait pas intervenir dans la mêlée : il n'aurait pas pu sauter sur Maman sans risquer de nous faire du mal, à nous aussi. Mais ensuite, quand elle a attaqué Rose et moi et qu'elle nous a repoussées par la force de son sortilège, il l'a attrapée.

Georgie pâlit encore, si c'était possible.

— Il l'a mangée ? chuchota-t-elle avec une sorte de fascination horrifiée.

— Non, répondit Henrietta, parce que Miss Cœur d'Artichaut ne l'a pas laissé faire. Du coup, nous ne nous en débarrasserons plus jamais, regarde !

Elle trotta entre les toiles suspendues les unes derrière les autres, et Georgie la suivit, yeux grands ouverts.

— C'est ta magie, Lily, n'est-ce pas ? murmura-t-elle en contemplant la tour. Elle a ton odeur. C'est extraordinaire. Une telle puissance !

— Je n'ai pas fait ça toute seule. Argent m'a aidée.

Georgie recula et passa un bras autour de ses épaules.

— N'empêche... Tu es tellement plus forte que je ne l'ai jamais été.

— En effet, confirma Henrietta, dont la voix résonna entre les toiles. Du coup, ta mère voulait te retirer les maléfices et les transférer à Lily.

Georgie se figea.

— Elle voulait faire ça ?

— Oui... reconnut Lily, lançant un regard en dessous à sa sœur pour vérifier qu'elle ne le prenait pas trop mal.

— Même si elle savait que ça me tuerait ?

— Elle savait aussi qu'elle risquait de tuer Lily, continua la petite chienne, mais elle n'avait pas beaucoup de temps. D'ailleurs, c'est pour ça que tu es en train de devenir folle, à mon avis. Ça commence. Les maléfices se préparent.

Lily jeta un regard noir à Henrietta. Elle se demandait toujours à quel point le carlin faisait exprès de manquer de tact à ce point.

— Je ne suis pas folle, protesta Georgie, sans grande assurance. Tu crois que je suis folle, Lily ?

— Tu viens de te balader en chemise de nuit et d'essayer d'ouvrir une porte fermée à clef juste avec les doigts, lui signala Henrietta. Et tu avais un regard bizarre. Je t'assure que tu avais l'air bel et bien dérangée...

— Georgie, tu es réveillée ! s'exclama Daniel.

Il était arrivé sur la scène, les bras chargés de prospectus. Découvrant ce que portait Georgie, ou plutôt ce qu'elle ne portait pas, il eut l'air embarrassé et fixa résolument ses pieds.

— Tu vas bien ? demanda-t-il timidement.

Georgie était devenue écarlate.

— Je dois aller m'habiller convenablement.

Lily leva les yeux au ciel.

— Oh, qui s'en soucie ? Daniel, nous avons vu Georgie avancer comme une somnambule. Je crois que les maléfices ont reçu un signal, quelque chose qui leur a fait prendre le contrôle de Georgie. En tout cas, ils ont été réveillés. Le complot est en marche. À moins que ce ne soit dû de nouveau à la proximité de Maman...

— Non, je ne crois pas, dit Georgie. Je me rappelle presque ce que je voulais faire. Je devais aller quelque part. Dans une maison. Pas loin de la Tamise.

Lily se tourna vers elle, tout excitée.

— Si tu te rappelais où, nous pourrions trouver les autres conspirateurs, et les arrêter !

— Une bande de magiciens, tous à peu près aussi puissants que votre mère ? objecta Daniel, dubitatif. Comment comptes-tu t'y prendre, à moins d'emmener ton dragon se promener au-dessus de Londres ?

— Je ne me rappelle pas où c'était exactement... dit lentement Georgie. Une grande maison, blanche. Avec beaucoup d'enfants. Quand je dormais, je savais exactement où aller, pourtant. Il vaut mieux que je ne dorme plus, pour ne pas courir de risques.

— Ou peut-être devrais-tu essayer de te rendormir, au contraire, pour que nous puissions te suivre ! suggéra Lily.

Georgie frissonna convulsivement. Daniel posa les yeux sur les prospectus qu'il transportait, comme s'il les voyait pour la première fois.

— Attendez... Regardez !

Il en tendit un à Georgie et Lily. Cette dernière lut ce qui y était écrit :

— *Représentation exceptionnelle à l'occasion du jubilé. Des numéros patriotiques, des chevaux sur scène, des tableaux dramatiques...* Mais nous n'avons pas de chevaux ! Où vas-tu t'en procurer ?

Daniel eut l'air un peu honteux.

— Un ami de Sam possède un poney, et il veut bien nous le prêter. Il faudra juste le tenir à bonne distance d'Argent... Bref, ce n'était pas de ça que je voulais parler. Vous ne comprenez pas ? Le jubilé de la reine. Le cinquantième anniversaire du couronnement ! Il va y avoir des défilés, des apparitions en public, une revue navale sur la Tamise... Et elle sera là, pas vrai ? Cette fois, Adélaïde ne peut pas remplacer sa fille, même si Sophia est malade. Il faut que la reine se montre à son peuple.

— Oh... fit Lily. Par conséquent, ce jour-là, tout le monde sait où elle sera, et à quelle heure !

— Exactement. Et il y aura des milliers de gens. Le contexte idéal pour une tentative d'assassinat.

Il leva les yeux sur Georgie, rougit jusqu'aux oreilles, et baissa à nouveau le nez vers ses chaussures.

— C'est dans trois jours. Il faut juste que nous t'empêchions de sortir pendant trois jours, et ensuite, ce sera terminé !

Georgie sourit timidement, avec espoir, mais Lily secoua la tête :

— Non ! Nous ne pouvons pas faire comme si de rien n'était. C'est très bien de protéger Georgie, et de protéger ceux à qui elle pourrait faire du mal, mais ça ne suffit pas. Il faut aussi trouver le moyen d'arrêter les autres, si nous voulons avoir une chance de faire revenir la magie dans le pays ! Georgie, tu es d'accord avec moi, n'est-ce pas ? Si nous sauvons la reine, elle sera bien obligée de nous écouter !

— Et si elle refuse ? demanda Henrietta, très grave, pour une fois.

Lily soupira.

— Dans ce cas, nous irons vivre ailleurs. En Amérique, peut-être.

Henrietta fit la moue.

— J'imagine, oui. Mais pas dans l'affreuse pension où nous sommes allées la dernière fois, Lily !

— Si nous ne la sauvons pas, poursuivit Lily à voix basse, je pense que nous devrions aller en Amérique quand même. Je refuse d'habiter dans un pays gouverné par des gens comme Maman ou Jonathan Dysart. Des magiciens qui estiment qu'ils peuvent faire ce qu'ils veulent, à qui ils veulent. Jonathan Dysart a passé sa vie à mentir pour devenir un des plus proches conseillers de la reine et pouvoir la poignarder dans le dos. Il est capable de tout.

— Y compris de transformer ses propres filles en armes, comme moi, approuva Georgie. Oh, si seulement je savais ce que je suis censée faire ! J'ai l'impression que si j'étais au courant, je pourrais au moins essayer de me retenir.

— Ton père a peut-être une idée sur la question, suggéra Daniel. Peter m'a dit qu'il s'était réveillé.

— S'il le savait, il nous l'aurait déjà dit !

— Pas forcément. C'est votre père. Il est possible qu'il se soit abstenu de vous révéler quelque chose pour ne pas vous effrayer.

— C'est juste, fit la voix filiforme de Papa, qui arrivait sur scène, appuyé au bras de Peter.

— J'ai senti que tu pensais à moi, Lily. (Il sourit en voyant son ahurissement.) Oui, c'est un petit tour bien utile.

Son sourire s'effaça quand il se tourna vers Georgie.

— Je ne voulais pas te dire ce que je soupçonnais. Je ne pouvais pas... Mais tu as raison. Il vaut mieux que tu le saches.

— Quoi ?

— Les maléfices ne sont pas destinés à tuer seulement la reine, mais toi aussi, dit-il simplement. Cela doit permettre à la magie d'être infiniment plus puissante. Vous êtes un sacrifice, toi et tous les autres enfants.

Lily eut un haut-le-cœur.

— Ils vont tous mourir ?

— Je crains fort que oui. Je n'en suis pas complètement certain, bien sûr, mais...

— Tu veux dire que tous ces magiciens ont élevé leurs enfants, leur ont donné des leçons, tout en prévoyant de les sacrifier ? C'est horrible ! Mais maintenant que j'y pense, les maléfices que je t'ai vue utiliser allaient dans ce sens, Georgie. Ils se nourrissaient de ton sang : le loup de poussière, ou le sortilège que tu as entamé hier, celui qui devait m'obliger à faire tout ce que tu voulais.

— C'est vrai. Je m'en souviens vaguement... Vous croyez que Cora et Penelope savent ce qui va leur arriver ? demanda Georgie, sourcils froncés. Je ne vois pas ces deux-là accepter d'être immolées. Quand nous les avons rencontrées chez Lady Clara, je n'ai pas du tout eu l'impression qu'elles avaient ce genre d'idéal...

Lily secoua la tête.

— Non. Elles doivent avoir envie d'être là après, de faire partie des magiciens qui domineront tout le monde.

— Je suis d'accord.

Peyton Powers soupira. Des larmes brillaient dans ses yeux.

— Le maléfice serait encore plus puissant si elles choisissaient de mourir pour l'amour de la cause, mais c'est difficile à obtenir... Je ne pense pas que ces enfants savent ce qui va se passer. On leur a simplement dit qu'ils allaient participer à quelque chose de merveilleux.

— Comme on te l'a dit, Georgie.

Georgie regarda sa sœur, hésitante :

— Peut-être devrions-nous les avertir ?

— Cora et Penelope ? Elles nous ont trahies ! Elles nous ont dénoncées aux Hommes de la reine ! C'est à cause d'elles que nous nous sommes retrouvées à l'institut Fell.

— À vrai dire, nous voulions y aller, lui fit remarquer Georgie. Nous espérions en apprendre davantage au sujet de la prison des magiciens, et sauver Peter.

— Mais elles ne le savaient pas, s'obstina Lily, têtue. Et elles ont trahi leur propre cause, par la même occasion. Elles tenaient tant à être les héroïnes qui feraient revenir la magie, qu'elles n'ont pas pu supporter l'idée que ça puisse être toi qui tues la reine à leur place.

— Leur père ne voulait pas vous envoyer là-bas, vous savez, intervint Henrietta. Je l'ai entendu les gronder, pendant que les Hommes de la reine vous emmenaient. J'étais encore assommée par le sortilège des flacons bleus, et je ne pouvais pas bouger, mais j'entendais tout. Il était furieux. Il criait que c'était du gâchis, que vous étiez trop précieuses pour être enfermées, mais que maintenant, il était bien obligé de vous envoyer à l'institut pour ne pas éveiller les soupçons.

— Tu ne nous l'avais pas dit !

— Lily, j'avais d'autres pensées en tête ! s'énerva la petite chienne. J'ai dû suivre la voiture à travers tout Londres, tu te rappelles ? Et ça ne m'a pas paru très important, à l'époque.

Lily la caressa doucement, se remémorant ses pattes ensanglantées.

— Excuse-moi.

— De toute façon, Cora et Penelope ne nous croiraient jamais, réfléchit Georgie. Je n'y croirais pas moi-même. Et je pense qu'elles aiment leur père, d'après la manière dont elles en parlaient. Je n'ose pas imaginer quel effet ça leur ferait, de découvrir ses intentions...

— Peut-être ne le sauront-elles jamais, conclut tristement Lily.

Mais elle ne voyait pas comment c'était possible.

HUIT

— Qu'est-ce que tu lis ? demanda Lily en regardant par-dessus l'épaule de Peter.

Peter lui passa son journal, et continua à mastiquer son déjeuner : un sandwich au fromage. Lily savait qu'il était allé se l'acheter tout seul. Il allait souvent chercher quelque chose pour Daniel, ou Sam, ou même d'autres machinistes. La plupart des marchands des environs le connaissaient, désormais, et déchiffraient volontiers les petits mots qu'il leur tendait. De toute façon, Peter se moquait du qu'en-dira-t-on. Ignorer les commentaires stupides était facile, pour lui. Il n'avait pas besoin de s'efforcer de ne pas écouter : il lui suffisait de regarder ailleurs. Mais même s'il comprenait ce qu'on murmurait dans son dos, il dépensait désormais son propre argent, son salaire, versé en contrepartie d'un travail qu'il avait choisi et qu'il aimait.

Quoi qu'il arrive, pensa Lily, *j'aurai au moins sauvé Peter*. À peine quelques mois plus tôt, le garçon avait été certain de devoir rester toute sa vie à Merrythought – comme elle.

— Oh... « Les festivités du jubilé », lut Lily. Ce n'est plus que dans deux jours, et nous n'avons rien découvert de plus...

Georgie n'avait pas eu d'autre crise de somnambulisme depuis la veille. Lily la soupçonnait d'essayer de refouler les maléfices, peut-être même sans en avoir conscience. Elle avait dormi paisiblement la nuit dernière, après avoir passé au moins une heure à se retourner dans le lit, trop effrayée pour fermer les yeux. Quand Georgie s'était enfin abandonnée au sommeil, Lily l'avait surveillée dans le noir pendant près de la moitié de la nuit, en vain. Elle ne savait pas au juste si elle souhaitait que Georgie recommence, ou pas.

Lily se frotta les yeux, lasse.

— Je ne sais pas quoi faire. J'ai même envisagé de me rendre au palais et d'essayer de parler à quelqu'un. Nous pourrions avertir la reine...

Peter ouvrit de grands yeux et secoua la tête avec force.

— Je sais, je sais. Mais il faut faire quelque chose. Je déteste devoir attendre comme ça. J'ai l'impression qu'une armée de fourmis défile sur moi, et même *en* moi. Des fourmis dans les jambes, dans les bras, sous la peau... Oh ! Regarde !

Elle avait ouvert le journal et désignait une photographie du doigt. Peter suivit son regard. Cela représentait une scène de groupe, dans une composition soignée, où figuraient six filles d'un âge proche de Lily, sauf une d'entre elles, plus grande, qui devait avoir l'âge qu'aurait eu leur sœur Prudence si elle avait vécu. Mais c'étaient les deux filles au centre, dont le visage sérieux était tourné vers l'objectif, qui avaient attiré l'attention de Lily. Leurs longues boucles brunes retombaient en cascade dans leur dos, et même dans cette impression de mauvaise qualité, leurs yeux faisaient un drôle d'effet.

Quand on les voyait dans la réalité, leurs iris étaient verts. D'un vert profond, qui brillait comme des lampes au centre de leur visage pâle.

Cora et Penelope Dysart, les filles de Jonathan Dysart.

Henrietta montra ses crocs et se mit à grogner.

— Ce sont elles qui nous ont envoyées à l'institut Fell, expliqua Lily à Peter. Les jumelles Dysart. Daniel avait raison : le jubilé est l'occasion rêvée d'organiser un coup d'État. Si Cora

et Penelope font partie d'un spectacle, c'est sûrement à ce moment-là qu'il va se passer quelque
chose. Le spectacle n'est qu'un prétexte pour leur
permettre de s'approcher de la reine. Il est probable que toutes ces filles sont des magiciennes...

Elle parcourut rapidement la légende de la
photographie. *Un tableau vivant pour glorifier
la reine Sophia : l'un des nombreux divertisse-
ments préparés pour célébrer les cinquante ans
de son règne. Ci-dessus, des enfants d'éminents
citoyens.*

Lily eut un ricanement ironique. D'éminents
magiciens clandestins, plutôt. Jonathan Dysart
devait avoir choisi les enfants lui-même.

— Peut-être que nous devrions retourner
chez elles... Ce sont les voisines de notre tante,
Lady Clara. Nous pourrions découvrir quelque
chose...

Mais cela semblait un plan d'action bien ténu,
et Peter secoua la tête.

*Votre tante appellerait les Hommes de la reine
si elle vous voyait, non ?* écrivit-il.

— Je pourrais t'emprunter une tenue.
M'habiller comme un garçon. Je suis sûre que
personne ne prêterait attention à un gamin
désœuvré. Je pourrais tenir les chevaux des
cavaliers...

Tu ne saurais pas par quel bout tenir un che-val, écrivit Peter avec un sourire ironique.

Lily lui décocha un coup de coude, mais il n'avait pas tort. Elle n'y connaissait rien en chevaux. Elle savait juste qu'ils étaient énormes, avec de grandes dents.

— C'est le seul moyen de s'approcher assez pour découvrir quelque chose ! insista-t-elle pourtant. Je pourrais les suivre, si elles sortaient. Il doit y avoir des répétitions de prévues, pour ce tableau vivant...

Soudain, un cri aigu et terrifié résonna dans sa tête :

Lily ! Je crois que ça commence !

Lily se leva d'un bond, mais resta debout, indécise, se tournant d'un côté, puis de l'autre. Ce n'était pas comme un vrai cri : elle ne pouvait pas suivre la direction du bruit. Il fallait qu'elle perçoive la présence de Georgie, et qu'elle la retrouve. Elle saisit la main de Peter et lui toucha le visage pour qu'il la regarde :

— Georgie m'appelle ! Les maléfices sont en train de s'emparer d'elle !

Elle partit en courant vers la salle des costumes, en le tirant par la main. Elle aurait dû deviner tout de suite que Georgie y serait : c'était toujours là-bas qu'elle se réfugiait quand quelque chose l'effrayait ou la bouleversait. Elle aimait cette pièce, ses commérages, son va-et-vient de danseuses et couturières, sa bouilloire constamment posée sur le petit poêle dans un coin. Là-bas, les pires désastres qui puissent arriver étaient que quelqu'un déchire son costume ou perde un chausson de danse.

Quand ils arrivèrent, Georgie se tenait debout sur le seuil, juste à côté de Maria, la costumière en chef.

— Elle est devenue bizarre, expliqua cette dernière à Lily. Ses yeux... c'est comme si un rideau s'était baissé devant. Et elle a arrêté de parler au beau milieu d'une phrase.

— Je sais, murmura Lily en observant sa sœur. Elle n'est pas dans son état normal.

— Mon petit frère était somnambule, lui aussi, intervint une danseuse. Pour l'attirer vers son lit, ma mère lui mettait un morceau de pain avec du jambon sous le nez.

— Mais elle ne dormait pas, s'impatienta Maria. Ça lui a pris comme ça. Devons-nous la réveiller, Lily ?

— Non ! Non, il faut qu'elle reste comme ça, expliqua-t-elle en voyant la désapprobation des deux femmes. Si nous découvrons la raison pour laquelle elle est enchantée, nous pourrons peut-être la désenchanter, vous comprenez ?

C'était presque vrai. Elle faisait confiance à Maria ; cependant, moins les autres en savaient sur la mission de Georgie, mieux cela valait. Maria portait, épinglée à son tablier, une broche représentant une petite couronne en émail : on en avait vendu partout pour célébrer le jubilé. Les Hommes de la reine avaient beau être impopulaires, le peuple nourrissait encore un amour profond pour Sophia. Ce n'aurait pas été une très bonne idée d'annoncer que Georgie avait été élevée depuis sa naissance pour la tuer.

Georgie était restée debout sur le seuil et tournait légèrement la tête à droite et à gauche, comme si elle écoutait. Elle tendit une main jusqu'à frôler le mur du couloir et se mit en marche, d'un pas lent mais ferme.

— Vas-tu lui ouvrir la porte ? demanda Henrietta, qui trottinait près de Lily.

— Si nécessaire, oui, mais ça ne m'étonnerait pas que... Regarde ! Je m'en doutais.

Georgie avait plongé la main dans la poche attachée à sa ceinture, et en avait extrait une clef. Elle la serra convulsivement dans ses doigts et emprunta un autre couloir : celui qui conduisait à la porte devant laquelle Henrietta et elle l'avaient trouvée la veille.

Où a-t-elle pris la clef ? Peter passa son carnet par-dessus l'épaule de Lily, et elle se retourna vers lui :

— Je ne sais pas. Elle a dû la voler au concierge.

Elle avait pourtant surveillé sa sœur de très près, depuis la veille. Néanmoins, celle-ci avait dû lui échapper à un moment donné. Les maléfices étaient sournois : elle aurait dû le savoir.

Georgie tira les verrous avec énergie, et introduisit la clef dans la serrure. Elle avait l'air plus vigoureuse que d'habitude. Visiblement, les maléfices ne redoutaient pas d'être entendus. Il était probable qu'ils n'hésiteraient pas à lutter si quelqu'un essayait de les arrêter. Ils utiliseraient une force que Georgie ne possédait pas, quitte à détruire la jeune fille au passage.

Une fois la porte ouverte, Georgie se mit en route avec détermination en direction de la rue principale, sur laquelle s'ouvrait la façade du théâtre. Puis elle avança d'un pas assuré dans la rue, évitant voitures et passants avec une aisance surnaturelle. Les maléfices semblaient voir à sa place.

Elle parcourut rue après rue, s'éloignant du quartier des magasins et théâtres en direction du parc et des maisons cossues qui entouraient le palais. Lily et Peter la suivaient, quelques pas plus loin, et Henrietta trottait près d'eux, en grognant et haletant tour à tour.

Georgie marchait sans s'arrêter, sans demander son chemin ni regarder le nom des rues. Elle continua jusqu'à ce qu'elle arrive dans une charmante rue en arc de cercle, avec de grandes maisons blanches aux portes luisantes et aux marches récemment repeintes. La rue longeait un parc avec une fontaine qui scintillait dans la lumière. Le coin semblait trop élégant et parfait pour abriter une bande de magiciens aux noirs desseins.

Georgie avança d'un pas égal jusqu'au perron d'une maison et s'arrêta, en tournant à nouveau la tête légèrement, comme si elle attendait des instructions. Lily et Peter, eux, se rendirent compte qu'ils étaient seuls dans la rue, et que ce n'était pas le genre d'endroit où l'on pouvait traînasser sans se faire repérer. *Et si nous allions nous cacher dans le parc pour surveiller la maison ?* songea Lily. S'ils restaient plantés là, ils risquaient de voir apparaître un valet de pied en livrée qui les chasserait à coup sûr. Elle avait déjà la sensation qu'on la regardait. *Ou peut-être pourrais-je nous cacher avec un sortilège ?*

Mais elle avait hésité trop longtemps. En sentant Peter lui toucher le bras, elle se retourna et constata que la porte commençait à s'ouvrir. Elle fit un pas en arrière, craignant de voir apparaître un valet, ou même un majordome.

Or, c'était Jonathan Dysart en personne qui se tenait en haut des marches. Il regarda les deux sœurs, et Lily attrapa Georgie par le bras, prête à s'enfuir en courant. Mais Georgie leva simplement le visage vers la porte ouverte et entreprit de gravir les marches.

— Georgie, non ! souffla Lily.

— Oh, tout va bien, dit l'homme. Vous êtes au bon endroit. J'ai senti que vous arriviez. Les filles Powers, c'est bien ça ?

Sa voix douce et feutrée donna la chair de poule à Lily. Les fourmis qu'elle sentait grouiller en elle avaient désormais les pattes enduites de miel. Cela lui rappelait la magie séductrice de Maman.

Jonathan Dysart passa un bras autour de Georgie, et de son autre main, il fit signe à Lily de s'approcher.

— Je suis sincèrement désolé d'avoir dû vous envoyer à l'institut Fell. Ce sont mes vilaines filles les coupables. Elles n'ont pas l'habitude de travailler avec d'autres apprentis. Enfin, elles *n'avaient* pas l'habitude : ça a changé, par bonheur. Cora et Penelope seront ravies de voir que vous êtes revenues saines et sauves.

Lily aurait parié le contraire, mais elle se contenta de sourire, en priant pour que Mr Dysart n'ait pas parlé à leur mère depuis longtemps et ne sache pas qu'elles n'approuvaient pas son horrible projet.

— Ainsi donc, après les... les événements étranges qui ont eu lieu à l'institut Fell, vous êtes revenues à Londres ?

Lily acquiesça. Elle ne voulait pas mentionner le théâtre. Pour distraire Mr Dysart et l'empêcher de lui demander ce qui s'était passé exactement, elle ajouta :

— Nous avons aussi ramené Peter avec nous.

— Je vois, je vois...

Mr Dysart ne prêta pas la moindre attention au garçon. Son regard allait de Georgie, pâle et silencieuse, à Lily, qui n'était de toute évidence sous le coup d'aucun enchantement. Lily lui sourit à nouveau, d'un sourire que la peur élargit démesurément :

— C'est Georgie qui a hérité des pouvoirs de la famille, expliqua-t-elle. Maman ne m'a jamais donné de leçon. Mais quand j'ai vu Georgie si certaine qu'elle devait venir ici, je n'ai pas voulu la laisser partir seule. Pouvons-nous assister à... ce que vous préparez ?

— Oh, c'est une simple répétition. (Mr Dysart tortilla sa moustache noire, et sourit.) Nous avons organisé un petit spectacle pour célébrer le règne miraculeux de notre chère reine Sophia. Elle a eu l'amabilité de promettre d'y assister, le jour de l'anniversaire du couronnement. (Il tapota la joue de Lily.) Bien sûr que tu peux nous regarder, chère petite. Et nous allons trouver un rôle à jouer pour ta sœur. Une néréide, peut-être, avec des coquillages...

Lily hocha vaguement la tête. Elle ne savait pas de quoi il parlait. La seule chose qui lui importait, c'était qu'il était en train d'entrer dans la maison, et d'emmener Georgie. Lily les suivit aussitôt. Elle n'était pas certaine que ce soit une bonne idée, mais elle n'avait pas l'intention de laisser sa sœur toute seule à l'intérieur, et Peter ne voulait les abandonner ni l'une ni l'autre.

Jonathan Dysart leur montra le chemin, passant devant une femme de chambre étrangement pâle, qui fit une révérence sans vraiment

les regarder. Elle avait l'air tout aussi ensorcelée que Georgie ; Lily devina que le personnel
des magiciens l'était forcément, ici, à Londres.
À Merrythought, les domestiques n'avaient
pas l'occasion de trahir les Powers, confinés
comme ils l'étaient sur une île. Et ils avaient
bien trop peur de Maman pour divulguer des
secrets dans leurs lettres à leur famille. Mais
s'ils voulaient quitter le service des Powers et
s'en aller, Maman modifiait leur mémoire avant
leur départ.

Lily était trop inquiète pour s'intéresser à ce
qui l'entourait tandis qu'elle suivait Mr Dysart
dans l'escalier, mais la maison avait une atmosphère très différente de celle de Merrythought.
Elle était gaie et pleine de lumière, avec une
rambarde de couleur claire et un papier peint
représentant des feuilles, des fleurs et des
oiseaux. L'un d'entre eux, un oisillon jaune avec
un bec noir, se pencha en avant pour examiner
les nouveaux venus, puis se mit à roucouler,
bientôt imité par tous les autres : un véritable
concert s'éleva derrière eux. Il y avait aussi une
odeur de roses dans l'air, et Lily en conclut que
cette maison devait appartenir à une femme,
probablement jeune. Elle sentait sa magie pétil-
ler autour d'eux.

Pendant un instant, elle fut jalouse de cette magicienne qui possédait une maison pleine de si jolies choses. Mais ensuite, elle se rappela la pauvre servante aux yeux vides. La jeune femme qui habitait ici et qui avait si agréablement décoré sa maison faisait partie des conspirateurs. Elle avait l'intention d'assassiner la reine, et Dieu sait combien d'enfants.

Lily entendait un bourdonnement de voix en haut de l'escalier : des phrases, des exclamations et des rires, qui l'entourèrent quand Jonathan Dysart les fit entrer dans la pièce. C'était une grande salle qui occupait toute la largeur de la maison, avec de hautes fenêtres donnant sur le parc d'un côté et des miroirs de la même taille de l'autre, de sorte que la lumière s'y reflétait et que la grande pièce semblait encore plus pleine de monde, et en particulier d'enfants, qu'elle ne l'était en réalité.

Les conversations s'éteignirent à l'arrivée de Lily et Georgie, et Lily se tortilla sous le poids des regards qui convergeaient vers elles. Elle avait grandi en compagnie de si peu de gens, à Merrythought, que le fait d'être au centre de l'attention la mettait encore mal à l'aise. Étrangement, monter sur scène ne lui faisait pas le même effet : sur les planches, elle n'était pas vraiment elle-même. Ici, c'était bien plus intimidant. Cela lui rappela leur entrée dans la salle de classe de l'institut Fell, sauf que les enfants de l'institut, lourdement drogués par les sortilèges, ne s'étaient pas beaucoup souciés de ces deux nouvelles venues.

Les discussions reprirent peu à peu, à mi-voix : les enfants se demandaient qui étaient les deux filles. Lily se redressa et soutint leurs regards. Comment avait-elle pu comparer ces enfants à ceux de l'institut Fell ? Pour commencer, ils étaient tous très bien habillés, et non engoncés dans d'affreux uniformes gris toujours trop grands ou trop petits. Et surtout, c'étaient tous des apprentis magiciens. Leur énergie rayonnait autour d'eux, même autour de ceux qui, ensorcelés comme Georgie, restaient immobiles et pâles. À l'institut Fell, près de la moitié des enfants avaient été là par hasard, sans jamais avoir eu de pouvoirs surnaturels. Ils avaient juste eu la malchance d'être un peu différents : peut-être avaient-ils trop pleuré à la naissance, ou avaient-ils eu des yeux de deux couleurs différentes, ou n'importe quoi d'autre. Et même les véritables enfants de magiciens avaient été obligés d'ensevelir leur don et de répéter que la magie était néfaste.

— Voici Georgiana Powers et sa petite sœur, les présenta Mr Dysart. Georgiana va participer au spectacle. Viens t'asseoir ici pour regarder, chère petite.

Il désignait à Lily les chaises entre les fenêtres. Peter demeura immobile près de la porte, comme s'il n'avait été qu'un valet de pied chargé d'accompagner les deux filles à travers la ville. Un valet vêtu de manière étrange, certes, mais son expression de supériorité était très réussie. Lily essaya de faire preuve d'autant d'assurance que lui, mais elle était trop inquiète. Que faisaient ici tous ces magiciens ? Il y avait aussi des adultes, qui s'étaient installés comme elle sur les chaises autour de la pièce, et qui témoignaient envers les filles Powers de la même curiosité que les enfants.

Henrietta gratta la jambe de Lily, et sa maîtresse la souleva. Le carlin noir se blottit sur ses genoux, et Lily se pencha pour la caresser et murmurer :

— Faut-il leur montrer que tu sais parler ? J'ai dit que je n'avais pas beaucoup de pouvoirs...

— Tu peux toujours prétendre que j'appartiens à Georgie. Que préparent-ils, exactement ? Une pièce de théâtre ?

Les enfants au centre de la pièce entouraient un fauteuil recouvert d'un tissu doré, sur lequel était assise une jeune fille qui, les cheveux relevés et coiffés d'un diadème, avait l'air de s'ennuyer profondément. Six autres filles étaient agenouillées autour d'elle et levaient les bras pour décrire des courbes gracieuses. Ou du moins l'auraient-elles fait si elles ne s'en étaient pas lassées au bout d'un certain nombre de répétitions : à présent, la plupart d'entre elles chuchotaient en regardant Georgie. Les autres enfants étaient répartis par petits groupes autour d'elles, comme prêts à danser.

— Musique, s'il vous plaît ! ordonna une jeune femme dans une ample robe blanche.

Tout le monde se tint plus droit et prit un air concentré. Lily n'avait pas remarqué qu'un piano trônait au bout de la salle, jouxté de deux violonistes et une flûtiste. Lily réalisa avec un battement de cœur que c'étaient des magiciens, eux aussi. Elle n'avait encore jamais entendu de musique enchantée.

— Viens ici, et fais comme les autres, ordonna la jeune femme dans la robe blanche à Georgie, en la conduisant vers un petit groupe de filles à l'avant.

Lily comprit qu'il devait s'agir de la maîtresse de maison : sa robe blanche à la large ceinture verte était assortie au papier peint fleuri et aux pots de fleurs disséminés avec bon goût dans la pièce. Si Georgie avait été dans son état normal, elle aurait été choquée de constater que la jeune femme ne portait manifestement pas de corset, ni même beaucoup de jupons.

— C'est ridicule d'en ajouter une maintenant, marmonna la jeune femme. Personne ne se soucie de la mise en scène... Bien sûr, ça n'aura aucune importance, au bout du compte. Mais tout de même...

Cora et Penelope faisaient partie de ce groupe, elles aussi. Elles lancèrent des regards haineux à Georgie, mais celle-ci n'était pas en mesure de les reconnaître. Elle resta debout, attendant, les yeux fixés sur le parc à travers une fenêtre. Elle semblait observer quelque chose dans le lointain, ou même dans l'avenir. Cora lui grommela quelques mots, mais Georgie ne pouvait pas l'entendre.

Quelques notes suffirent pour que Lily comprenne que la musique constituait l'élément final du maléfice. L'atmosphère d'ennui se dissipa, et tous les chuchotements s'interrompirent. Une étincelle apparut dans les yeux de

Georgie, un éclat dont ils étaient dépourvus depuis des semaines. Elle se redressa, comme une marionnette suspendue à des fils, et tendit une main à Cora, et l'autre à une fille rousse. Les divers groupes d'enfants se mirent à danser solennellement en cercle, pirouettant les uns autour des autres selon un schéma rigoureux, qui devait avoir une signification précise. Lily sentit que la musique l'attirait, la suppliait de se joindre à eux, et elle s'agita sur sa chaise.

— Non, l'arrêta sévèrement Henrietta. Ne bouge pas. C'est de la magie noire. Ne la laisse pas te séduire. Regarde-les !

Lily savait qu'elle n'aurait pas dû se laisser entraîner dans le cercle, mais la mélodie était si sauvage, si exaltante ! Pour elle, cela évoquait ce moment, au théâtre, où tout le public retenait son souffle, attendant de voir comment tel ou tel tour allait se terminer... Elle tambourinait des doigts contre le côté de la chaise, et son cœur battait au rythme de la musique. Henrietta sauta de ses genoux en grondant, mais Lily commença à se lever.

Toutefois, quelqu'un la prit brutalement par les épaules et la força à se rasseoir, en la secouant un peu au passage. Lily perdit le rythme et revint à elle. Elle dévisagea Peter avec colère, en se frottant les épaules : il lui avait fait mal.

— Pourquoi m'as-tu fait ça ?

Peter lui adressa un regard de reproche, et désigna d'un geste la pièce pleine d'enfants qui virevoltaient.

Lily eut la nausée en voyant ce à quoi elle avait failli se mêler. La musique l'appelait encore, doucereuse, et faisait danser sa magie en elle, mais elle demeura sur sa chaise. Peter, lui, n'avait pas besoin de combattre le maléfice : il n'entendait pas les notes. Lily enfonça ses ongles dans ses paumes et s'imagina que ses semelles étaient collées au plancher.

Les enfants dansaient de plus en plus vite ; les cercles se brisaient, se transformaient en lignes qui tournoyaient autour de la fille assise sur le trône, tandis que ses demoiselles d'honneur bougeaient les bras avec grâce.

— Où est Georgie ? s'inquiéta Lily.

Elle ne la voyait plus : les enfants bougeaient trop vite, et se ressemblaient tous, avec leurs yeux exorbités et leur bouche ouverte. Elle aurait pourtant dû être capable de distinguer Georgie, aux cheveux d'un blond si clair, de Cora et Penelope, ou de la fille rousse. Mais ils défilaient devant elle dans un tourbillon de magie, invoquant quelque chose de gros, de furieux, de sombre. La chose enfla dans l'air et laissa un goût fangeux dans la bouche de Lily, comme de l'eau stagnante qu'on aurait remuée avec un bâton. Elle mourait d'envie de partir en courant, mais elle ne pouvait pas abandonner sa sœur.

Et puis, brusquement, la musique s'arrêta dans un cafouillis de fausses notes, et tous les enfants s'immobilisèrent, revinrent à la réalité et se dévisagèrent les uns les autres, perplexes.

Georgie regarda alors sa sœur à travers la pièce, de ses yeux noirs pleins d'épouvante, et Lily s'aperçut qu'elle n'avait aucune idée de l'endroit où elle se trouvait.

NEUF

On avait demandé aux filles de revenir le surlendemain, le jour du jubilé. Lily savait que Georgie n'avait aucune chance d'oublier. Elle était sortie de sa crise d'hypnose faible et étourdie, et Lily et Peter avaient dû la soutenir tout au long de leur marche vers le théâtre.

— Vous revoilà !

Papa, qui écrivait une lettre, assis sur une patte d'Argent, se leva d'un bond et manqua d'asperger d'encre le dragon. L'encrier se retourna miraculeusement dans l'air, et le bouchon se referma avec un petit claquement. Argent s'ébroua.

— Alors, que s'est-il passé ? demanda-t-il d'une voix ensommeillée.

— Tout va bien, mes chéries ? Lily, tu aurais dû venir me chercher, au lieu de suivre ta sœur sans prévenir ! Je me suis réveillé il y a une demi-heure, et quand Daniel m'a raconté ce qui s'était passé, j'ai failli m'étrangler.

Il passa un bras autour de Georgie, qui se laissa aller contre lui, et tendit son autre main pour tapoter la joue de Lily. Elle protesta :

— Je n'avais pas le temps. Et tu es encore mal en point.

— Je serais encore plus mal en point s'il vous arrivait quelque chose ! Enfin, au moins, j'étais heureux d'apprendre que Peter vous avait accompagnées.

— Avez-vous découvert ce qu'ils préparaient ? intervint Argent avec impatience.

Lily réfléchit. Elle avait essayé d'y repenser sur le chemin du retour, mais plus ils s'éloignaient de la jolie maison blanche, plus ses souvenirs devenaient flous et lointains. Georgie ne se rappelait rien, sauf avoir dansé, mais comme dans un rêve, disait-elle.

— Il y avait de la musique... commença Lily en regardant Peter pour qu'il confirme. C'était un sortilège si fort que même moi, il m'a attirée, alors que je n'ai pas été enchantée par Maman. Peter m'a arrêtée. Il ne pouvait pas l'entendre, lui, donc il n'était pas touché.

Ils étaient tous fous, écrivit Peter. Il tendit son petit carnet au dragon, mais après l'avoir examiné en louchant, celui-ci secoua la tête.

— Il dit que tout le monde était fou, répéta Lily. C'était horrible, et à la fois merveilleux. Je voulais tant rejoindre les autres ! Mais quand Peter m'a secouée, je me suis rendu compte que la danse était en train de faire apparaître quelque chose d'étrange, quelque chose qui avait une drôle d'odeur. Je pense que tous ceux qui entendront cette musique vont se joindre aux danseurs : ils ne pourront pas s'en empêcher.

— Et plus il y aura de monde qui dansera, plus le sortilège sera puissant, devina Papa. Leur intention est donc d'utiliser l'énergie de la foule. C'est habile. Très habile, et très sournois. Vous a-t-on dit où l'événement doit avoir lieu ? Cela pourrait nous aider. Nous pourrions au moins essayer de préparer une contre-attaque. Ou de provoquer une distraction, pour que la procession royale ne passe pas par là. Encore faudrait-il avoir du temps pour s'organiser...

— Et de la force, lui rappela doucement le dragon. Cette force que votre épouse vous a volée, avant que Lily l'enferme dans cette tour peinte. Vous ne serez pas en état de vous battre dans deux jours, Peyton, et Rose non plus.

Papa se rassit sur la patte du dragon, entraînant Georgie avec lui, et soupira. Il avait en effet l'air très frêle, comme si la terreur de découvrir que ses deux filles avaient disparu l'avait vidé de l'énergie qu'il avait récupérée depuis la bataille.

— Tout repose donc sur toi, marmonna lugubrement Henrietta en frôlant la jambe de Lily. Comme d'habitude. Et sur moi, bien sûr.

— Et sur moi, ajouta Argent. Je crois que le temps des cachotteries est terminé, Lily. Nous n'avons aucune chance de vaincre un maléfice si puissant et si bien préparé sans sortir au grand jour. Donc autant y aller hardiment. Et maintenant que j'ai mangé les maléfices de ta mère, j'ai pris goût à cette magie noire. Peut-être le temps est-il venu de montrer au monde que les dragons ne sont pas une légende.

***

— Je voudrais déjà y être, murmura Georgie. Je déteste cette attente...

En ce début de matinée, ils s'étaient installés dans un coin ensoleillé de la petite cour à l'arrière du théâtre. Argent était prêt à s'envoler, et tout le monde était assis sur sa queue ou ses pattes. Même Rose était là, emmitouflée dans une couverture, avec Jane aux petits soins pour elle. Rose et Papa allaient rester au théâtre et suivre les événements grâce à la catoptromancie, cet art qui consistait à faire apparaître des images sur une surface luisante. Ils avaient emprunté un vieux saxhorn à l'un des musiciens, et Peter l'avait poli jusqu'à ce qu'il brille comme un miroir. Rose leur avait montré qu'elle pouvait s'en servir pour espionner ce qui se passait ailleurs : ils avaient ainsi vu Daniel dans son bureau en train de manger de la mélasse à la petite cuillère, son vice secret. Papa tenait absolument à voir si ses filles étaient en danger, pour pouvoir intervenir coûte que coûte si nécessaire, et Rose partageait ses sentiments.

Le plan était le suivant : lorsque Georgie retomberait sous hypnose, Lily et Peter la suivraient à nouveau. Argent, lui, attendrait au théâtre jusqu'à ce que la danse enchantée commence, moment où Lily l'appellerait par télépathie. Elle percevait sa présence et son impatience dans un coin de son cerveau, comme un énorme réservoir de magie supplémentaire, ce qui lui faisait un peu tourner la tête.

Daniel allait et venait dans la cour – ou essayait, plutôt, dans la mesure où celle-ci était aux trois quarts occupée par un dragon. Tous les deux ou trois pas, il était contraint de faire demi-tour, ou d'enjamber la queue d'Argent.

— La procession est censée commencer à dix heures, marmonna-t-il. Il est déjà neuf heures, donc l'attentat doit être programmé pour la fin de la procession, sinon tu serais déjà partie.

Georgie soupira. Elle avait l'impression qu'il répétait la même chose depuis des heures.

— Oui, Daniel.

— Peut-être au cours de la parade militaire au champ d'Artillerie ? Non, ce serait idiot de choisir un endroit plein de soldats. Et je ne vois pas les conseillers accepter que la reine assiste à un tableau vivant là-bas : ce serait trop déplacé... Mais ensuite, il n'y a plus que la revue navale, sur la Tamise. La reine sera sur la barque de cérémonie royale, donc elle sera trop loin pour que vous puissiez lui faire du mal, quel que soit le maléfice utilisé !

— Daniel, arrête ! s'impatienta Georgie. Nous ne savons pas où ce sera, alors ça ne sert à rien d'en parler !

— Mais je veux le savoir ! lui chuchota Daniel en lui prenant les mains. Comment puis-je venir te défendre si je ne sais pas où tu es ?

— Tu ne peux pas venir ! protesta Lily. Tu n'as pas de pouvoirs magiques, Daniel, tu ne...

Elle était sur le point de dire « tu ne serviras à rien », mais elle s'interrompit. Ce serait terriblement cruel. Elle ne termina pas sa phrase. Daniel et Georgie, dont les yeux s'étaient remplis de larmes, étaient restés face à face, le regard fixé l'un sur l'autre. Il y avait quelque chose de magnétique dans ce regard échangé.

— Quand est-ce arrivé ? marmonna Henrietta. Je n'ai tourné le dos qu'une minute ou deux !

— De quoi parles-tu ?

— D'eux ! Regarde-les. Ils sont tombés amoureux !

Lily les observa à nouveau, et remarqua que Georgie avait posé une main sur celle de Daniel, et qu'elle pleurait. Encore.

— Ma foi, au moins, si nous nous en sortons en un seul morceau, son avenir est assuré, conclut Henrietta, pragmatique.

— Elle n'a pas l'âge d'avoir un amoureux, voyons ! lui chuchota Lily.

Elle jeta un coup d'œil inquiet à son père, mais il souriait, d'un sourire triste.

— Elle a presque quatorze ans, non ? répliqua Henrietta. Et Daniel n'a que trois ans de plus. En tout cas, ça empêchera toutes ces danseuses de lui faire des avances...

— Et peut-être que ce jongleur roux arrêtera de tourner autour de Georgie, ajouta Argent.

Lily haussa les sourcils. Que de choses lui avaient échappé ! Il faut dire qu'elle avait eu des sujets de préoccupation plus importants.

— Georgie ?

Daniel fixait toujours sa sœur, mais son sourire béat s'était effacé, laissant place à une expression angoissée.

— Lily, elle n'est pas dans son état normal !

— Ça commence ?

Lily se pencha pour regarder sa sœur en face. Les yeux de Georgie étaient vides et brillants, comme des miroirs, et son visage avait perdu toute expressivité. Elle se leva mécaniquement et traversa la cour. Ils avaient laissé la petite porte de service ouverte : puisqu'il fallait qu'elle sorte, autant lui simplifier la tâche. Elle tira le battant avec force et disparut dans l'impasse. Lily prit Henrietta sous le bras et courut derrière elle après avoir donné un rapide baiser à son père.

— Rappelle-toi la tapisserie ! lui cria-t-il. C'est juste un fil, un seul et unique fil, cousu au reste. Nous pouvons la sauver, j'en suis certain. *Tu* peux la sauver... corrigea-t-il d'une voix amère.

Lily acquiesça, mais penser à la tapisserie ne la rassurait pas. Le fil noir avait été entremêlé aux autres, sur toute la surface. L'obscurité avait envahi toute l'histoire de Georgie, et quand ils avaient essayé de la délivrer, ils l'avaient à moitié tuée.

Daniel et Peter suivirent Lily hors du théâtre. Ensemble, sur les pas de Georgie, ils retournèrent à la petite maison blanche. Les rues étaient pleines de gens endimanchés, avec des rosettes épinglées à leurs manteaux. Ils passèrent devant un groupe de gamins qui achetaient des drapeaux à un marchand ambulant.

— Attendez devant la maison, leur conseilla Lily. Ou au bout de la rue, peut-être. Je doute qu'on vous laisse entrer, aujourd'hui.

Elle n'était même pas certaine qu'on la laisserait entrer elle-même, mais quand elle grimpa les marches derrière Georgie, personne ne l'arrêta. D'autres enfants arrivaient en même temps, tous avec la même démarche déterminée. Personne ne surveillait la porte, et Lily suivit le mouvement.

— Je sais ce qui va se passer, lui chuchota Henrietta pendant qu'elles montaient l'escalier et entraient dans la pièce où tout le monde s'était rassemblé l'avant-veille.

— Vraiment ? Comment ? Tu as entendu quelqu'un dire quelque chose ?

Elle-même n'avait rien entendu : tous les enfants étaient horriblement silencieux.

— Non. Mais cette odeur... L'arrière de la maison donne sur la Tamise. J'aurais dû y penser plus tôt. Daniel l'a évoqué ce matin, tu te rappelles ? La revue navale, sur la barque de cérémonie royale. Le « spectacle » ne sera pas donné sur la rive, Lily. Je suis prête à parier qu'il y a un bateau arrimé à l'arrière de la maison. Il ira accoster celui de la reine. Et à la fin, il coulera.

— Mais... si les enfants sont encore sous hypnose, ils se noieront ! chuchota Lily, horrifiée, tandis que Georgie se glissait derrière un paravent pour se changer.

— Bien sûr. C'est ce que ton père nous a dit, non ? Les sacrifices humains renforcent la magie noire, Lily, même si ceux qui doivent être sacrifiés n'en ont pas conscience.

— J'ai lu un article sur la revue navale. Il y aura des centaines de barques sur la Tamise. Si leurs passagers sont atteints par la musique, les conséquences seront dramatiques !

— C'est bien plus facile de faire un coup d'État quand un pays a été victime d'une catastrophe, lui expliqua Henrietta d'un ton docte.

Lorsque la population est en deuil, elle accepte n'importe quoi. Tout a été très soigneusement préparé, Lily. Les magiciens prendront facilement le pouvoir, après ça ; tu verras.

— Non. Nous les en empêcherons !

Henrietta acquiesça, mais sans grande conviction.

Les enfants ressortaient les uns après les autres de derrière les paravents. Ils portaient des costumes de couleurs vives, agrémentés de colliers de coquillages ou d'algues. Plusieurs garçons tenaient des voiliers miniatures, comme s'ils voulaient aller les faire flotter dans les fontaines du parc.

Lily les suivit hors de la maison jusqu'à un jardin à la pelouse impeccable qui descendait en pente douce vers le cours d'eau. Henrietta lui jeta un coup d'œil significatif. Au bout flottait une sorte de grande péniche, une barge, tirée par un petit remorqueur à vapeur orné de drapeaux.

— On ne va pas nous laisser monter à bord, comprit soudain Lily. Si le spectacle a lieu sur un bateau, je ne pourrai pas m'en approcher, n'est-ce pas ? Je n'y avais pas pensé.

Les enfants prenaient déjà position sur la barge. Georgie, enveloppée d'une tunique rose fuchsia, s'agenouilla dans le cercle à côté des sœurs Dysart, sans même jeter un coup d'œil en direction de sa sœur. Lily se tourna vers une des femmes qui assistaient à la scène et prit un air aussi naturel que possible.

— S'il vous plaît, quel est le meilleur endroit pour regarder le spectacle, à votre avis ?

La femme sursauta. Elle se retenait à grand-peine de pleurer.

— Oh... je ne sais pas...

Elle ressemblait beaucoup à la fille rousse installée près de Georgie. Ce devait être sa mère, et elle savait ce qui allait se passer. Lily trouva la force d'insister gaiement :

— C'est ma sœur, là-bas. Elle a de la chance d'avoir été choisie pour danser pour la reine ! Je voudrais pouvoir la regarder.

La femme lui sourit, d'un sourire terriblement contraint :

— Pont Davenhall, lâcha-t-elle. La reine montera sur le bateau au pont Davenhall.

Puis elle s'éloigna d'un pas chancelant, en pressant un mouchoir en dentelles sur ses lèvres.

— La reine va monter à bord ? répéta Lily. Oh...

Le trône au centre de la barge était vide, et Lily comprit pourquoi la fille qui y était assise le jour de la répétition avait eu l'air de s'ennuyer autant : ce n'était pas son véritable rôle.

Le bateau n'allait pas se contenter d'accoster la barque royale. La reine elle-même viendrait s'asseoir en plein milieu du maléfice.

Lily jeta un dernier regard à Georgie, pâle et immobile, et remonta le jardin vers la maison. Il y avait une autre embarcation derrière la première, avec des rameurs à l'avant. Jonathan Dysart s'y trouvait, ainsi que plusieurs parents que Lily avait vus à la répétition. Ils voulaient voir leurs enfants danser. Lily réprima un haut-le-cœur. Au moins, cela signifiait que la maison devait être vide. Et en effet, personne ne l'intercepta quand elle traversa les pièces où le bruit de ses pas résonnait. Elle rejoignit sans encombre Peter et Daniel dans la rue, en priant pour que l'un des deux sache comment aller au pont Davenhall.

— Je crois que c'est le prochain, annonça Daniel, essoufflé.

Ils avaient pris un fiacre pour aller aussi loin que possible, mais les rues étaient noires de monde, et ils étaient encore loin de leur but quand ils avaient dû descendre pour commencer à se frayer un chemin dans la foule à coups de bourrades et de supplications.

Une acclamation s'éleva parmi les badauds, accompagnée de cris : « La reine ! La reine ! »

— Déjà ? haleta Lily. Comment sont-ils arrivés si vite ?

— Leur bateau est bondé de magiciens, non ? lui signala sèchement Henrietta.

Elle était d'une humeur massacrante, car elle avait reçu de nombreux coups de pied. Ils avaient perdu cinq bonnes minutes à s'excuser auprès de la dernière personne qui lui avait accidentellement marché dessus : elle l'avait mordue.

— Et puis, compléta-t-elle, ils sont venus tout droit, par la Tamise, alors que nous avons dû suivre les rues.

— Écoutez ! J'entends la musique. Nous devons avancer jusqu'au premier rang !

Lily se mit à courir en distribuant des coups de coude, aidée par Henrietta qui aboyait et faisait claquer ses mâchoires devant les chevilles des gêneurs. Quelques personnes protestèrent, mais la musique traversait déjà l'eau, et la plupart des spectateurs regardaient devant eux avec ravissement, parfois en oscillant légèrement. Lily avait cru que la barge serait trop loin, au milieu du large fleuve, mais elle entendait clairement le chuintement obsédant de la flûte.

— N'écoute pas ! cria-t-elle à Daniel.

Il se secoua et s'enfonça les doigts dans les oreilles. Lily serra les mâchoires et entonna le refrain terriblement vulgaire que l'un des peintres du théâtre avait chanté la veille tout en travaillant. *Georgie serait furieuse*, pensa-t-elle en luttant contre une absurde envie de rire. Mais tout ce qui pouvait l'aider à combattre l'ensorcellement était bon à prendre.

Enfin, elle atteignit le parapet, et vit la barge passer sous le pont, tout à côté de la barque de cérémonie. Sur cette dernière, l'équipage était en train de retirer une planche qui avait dû servir de pont à la reine quand elle était passée d'une embarcation à l'autre. Malgré les efforts des matelots, la barque dérivait, et les rames dorées ne s'enfonçaient plus en cadence dans l'eau. La musique les hypnotisait déjà.

Sur la barge, la reine s'était assise sur le trône doré, un petit voilier à la main. Ce devait être une référence à l'importance de la mer pour le pays, et à la marine. *Les coquillages, les algues, le commerce maritime, l'empire...* pensa vaguement Lily. Cela semblait tout à fait approprié, et de bon ton. Mais ce n'était qu'une façade.

La reine était un peu affaissée : à cause de la musique, ou de sa maladie ? Lily fixa les danseurs qui tourbillonnaient et essaya de repérer Georgie, mais elle n'arrivait pas à la distinguer des autres, malgré sa tunique rose fuchsia : ils bougeaient trop vite, se croisaient, multipliaient les figures étourdissantes. Cela avait un effet hypnotisant, et Lily ferma vite les yeux en sentant le sortilège s'insinuer en elle.

Autour d'elle, les spectateurs avaient commencé à se balancer en rythme, à se prendre par la main, à s'incliner gravement les uns devant les autres avant de s'éloigner en tournoyant. Les familles se séparaient, et même les plus jeunes enfants dansaient à la perfection.

— Argent ! hurla-t-elle en levant la tête. Viens vite ! Ça a commencé !

Crier était inutile : il l'aurait entendue même si elle n'avait utilisé que la télépathie. Mais cela la réconfortait, lui donnait l'impression de faire quelque chose.

Sur la barge, la danse avait changé. Les enfants décrivaient désormais un cercle, comme un cyclone, avec un centre immobile : le trône. Mais en face de la reine se dressait une autre silhouette, et Lily grimaça quand elle remarqua sa tunique fuchsia.

Le rêve de leur mère s'accomplissait : c'était Georgie qui conduisait le maléfice.

Sa sœur tendait les bras à l'horizontale, le visage levé vers le ciel, et elle pivotait lentement sur elle-même. Lily se rappela soudain l'avoir déjà vue faire ce geste, un jour, à Merrythought, au cours de l'un de ses très rares moments de liberté entre deux séances d'apprentissage. À l'époque, elle souriait, absorbant avec joie les rayons du soleil.

Comme le jour de la répétition, Lily perçut à nouveau une étrange noirceur, avec un arrière-goût d'eau croupie. Elle comprit alors que c'était l'odeur de la boue sale que charriait le fleuve. Peu à peu, la magie souleva des vagues qui se mirent à tourner autour du bateau, à monter, jusqu'à former des murs sombres autour des danseurs, assez haut pour les cacher complète-ment à la vue. Lily crut tout d'abord que l'eau allait retomber en entraînant avec elle l'embar-cation et tous ceux qui se trouvaient dessus, mais le liquide continuait à bouger, à tourner, à prendre une forme. Dans le ciel juste au-dessus de la Tamise, quelque chose poussait.

Lily comprit ce que c'était quand elle entendit le battement des ailes immenses contre le vent, et que, levant les yeux, elle vit Argent décrire un cercle au-dessus du pont.

Georgie était en train de fabriquer un dragon.

DIX

Lily leva les bras vers Argent, et celui-ci descendit une patte pour la soulever avec Henrietta hors de la foule. Elle vit Peter tendre la main vers elle, mais ne l'attrapa pas. Sa compagnie l'aurait réconfortée, pourtant ; elle aurait vraiment voulu qu'il soit à ses côtés. Mais cette affaire ne concernait que Georgie et elle ; elle refusait de mettre une fois de plus Peter en danger.

Elle grimpa sur le dos du dragon et s'installa juste derrière son cou, tandis qu'Argent continuait à voler en cercle au-dessus de la Tamise, en regardant le dragon d'eau émerger du sortilège de Georgie.

— Ce... ce truc est plus gros que moi !

Il avait l'air assez choqué : c'était probablement la première fois qu'il rencontrait une créature plus grosse que lui.

— Ce n'est pas un vrai... le consola Lily.

Néanmoins, même s'il n'était composé que de boue, d'eau et de magie, il existait bel et bien. Et il était assez solide pour porter Georgie, constata Lily en avalant péniblement sa salive. Sa sœur était assise sur son dos, reflétant sa propre position à califourchon sur Argent.

— C'est à cause de toi qu'elle a fait un dragon. C'est ta présence qui lui a donné cette idée. Les maléfices s'adaptent à ce qu'ils trouvent. Tout comme ils se sont cousus à elle parce qu'elle aimait tant la couture...

— Voilà donc à quoi je ressemble ? Enfin, à part cette couleur sombre et laide, bien entendu.

— À votre avis, un dragon d'eau peut-il cracher du feu ? demanda Henrietta avec une nonchalance feinte.

Lily baissa les yeux vers la foule qui dansait en bas.

— À mon avis, il peut faire n'importe quoi. Il y a tant de magie en lui ! Regardez tous les gens qui se sont laissé entraîner...

Elle observa les bateaux, les enfants qui dansaient, et leurs parents juste derrière, et fronça les sourcils. Jonathan Dysart s'était levé et pirouettait lentement sur lui-même, le visage tourné vers le ciel.

— Vous avez vu ? Ça a même contaminé les magiciens eux-mêmes ! Ce n'était sûrement pas prévu. Si leur magie se joint à celle des enfants, le dragon sera encore plus fort ! Peut-être Georgie est-elle plus puissante qu'ils ne le croyaient...

— Ta mère lui a transmis tout ce qu'elle pouvait, confirma Henrietta. Elle ne lui a rien épargné. Et maintenant, le maléfice se répand comme une traînée de poudre. Cette créature est aussi grande qu'une maison. Que plusieurs maisons...

— Mais ce faux dragon n'a pas des siècles d'expérience, rétorqua Argent en descendant en spirale vers le dragon noir. Je vole bien mieux que lui.

— Malheureusement, je ne sais pas si ça va servir à grand-chose, dit Lily tandis que le dragon noir ouvrait ses énormes ailes de chauve-souris et montait en flèche. Il ne s'agit pas d'un concours de vol. Le dragon doit détruire la barge, c'est tout. Regardez, il va plonger dessus !

— Je vais l'en empêcher ! rugit Argent.

Il accéléra et passa juste sous le dragon noir. L'énorme créature dut interrompre sa descente en piqué et virer. En passant près d'eux, il posa sur Lily ses yeux rouges, sournois et cruels. Georgie s'agrippait à lui, si petite et fragile sur l'énorme dos, et lorsqu'ils se frôlèrent, Lily crut voir le regard horrifié de sa sœur croiser le sien.

— Il n'a plus besoin d'elle, constata Lily. Il a pris tout ce qu'elle avait à lui donner.

Mais ses paroles furent emportées par le vent. Argent battait furieusement des ailes derrière le dragon noir.

— Il revient ! hurla soudain Henrietta. Il va nous attaquer !

Elle avait raison. Le dragon noir avait fini par comprendre qu'il lui faudrait se débarrasser d'Argent et de Lily avant de pouvoir s'attaquer au bateau. Il fonça vers eux en fouettant le ciel de ses ailes couleur nuit, et Georgie, pâle comme un linge, dut resserrer sa prise.

— À présent qu'il a pompé toute la magie de Georgie, elle lui est inutile ! cria Lily à Argent. Il se moque qu'elle tombe. Nous allons peut-être devoir la rattraper !

Argent se cabra dans l'air, griffes en avant, et fonça vers l'autre dragon. Mais ses griffes glissèrent sur lui, comme si le monstre noir avait été protégé par une armure. En les esquivant, la créature leur décocha un coup de queue. Frappé de plein fouet, Argent tomba vers l'eau.

Lily enfonça les doigts entre ses écailles et ferma les yeux, tout en inventant un sortilège de toutes pièces à partir d'un méli-mélo d'images de serviettes, de fers à repasser, de feux de cheminée, de thé, censé les empêcher de se noyer. Henrietta l'imita et lui transmit des visions de sa fourrure sèche sous le soleil brûlant, de pain grillé avec du beurre, et de l'imperméable de sa grand-tante Arabel. Dans le vent violent de leur chute, Lily assembla tous ces morceaux et essaya de fabriquer une bulle de magie qui les empêcherait de tomber dans l'eau.

— Lily, arrête ! Je sens l'odeur du thé et du pain grillé, et ça ne m'aide pas ! protesta Argent.

Toutefois, juste au moment de toucher l'eau, il réussit à se redresser, et seul son ventre argenté frôla la surface. Lily ignorait s'il s'était sauvé tout seul, ou si son sortilège absurde avait contribué à le freiner.

La brusque attaque d'Argent avait effrayé le dragon noir, qui planait en altitude, méditant sur la marche à suivre, de sorte qu'ils purent reprendre haleine pendant quelques instants.

— Que pouvons-nous faire ? cria Lily.

— Je ne sais pas. Il est terriblement puissant, et il ne semble pas encore avoir compris qu'il pouvait cracher du feu...

— Ne lui disons pas, d'accord ? gémit Henrietta.

Lily frissonna. Elle n'osait pas imaginer la taille des flammes que pourrait produire un dragon de cette taille. Il aurait pu brûler le bateau de la reine en quelques secondes.

— Argent, je sais qu'il est gros, mais comme tu l'as dit toi-même, tu voles mieux. Et si nous lui tendions un piège ? Nous pourrions le convaincre de voler juste au-dessus de l'eau, et ensuite l'y enfoncer, par exemple ?

— Il y a des chances qu'il sache nager. Mais ça vaut la peine d'essayer...

Argent redescendit jusqu'à la surface du fleuve, et tourna autour de la barge, en faisant mine de vouloir la protéger. Ils étaient si proches de l'eau que Lily aurait presque pu y plonger le bout des doigts. Sur le bateau, les enfants dansaient toujours, mais ils titubaient, et certains s'étaient déjà écroulés. La reine s'était effondrée et avait à moitié glissé hors du fauteuil ; Lily ne pouvait pas voir si elle était encore vivante. Les autres embarcations sur la Tamise avaient été atteintes à leur tour par le maléfice, et partaient à la dérive pendant que leur équipage dansait et sautait en une sorte d'étrange matelote. Lily vit la barque de cérémonie royale, où était rassemblé le reste de la cour, s'enliser lentement sur la rive boueuse, et heurter la barque des magiciens. Elle se pencha sur le côté pour mieux voir.

— Est-ce que ça fait partie du maléfice ? Regarde, les deux bateaux vont couler ! Si les gens ne se réveillent pas, ils vont se noyer !

— Bon débarras. Je ne peux pas à la fois les sauver et sauver la reine, Lily. Que choisis-tu ? lança Argent en jetant un coup d'œil en arrière pour vérifier que le dragon noir le suivait et se rapprochait de l'eau.

Lily se retourna, regardant alternativement le dragon noir et les bateaux. Des dames d'honneur glissaient vers l'eau, tout en continuant à essayer de danser. Lily retint son souffle en voyant Adélaïde, la vieille reine mère qui haïssait tant la magie, valser avec grâce jusqu'à l'eau. Ses jupons raides et gonflés la maintinrent à flot pendant un moment avant qu'elle ne commence à s'enfoncer.

— Ce n'est pas profond, à cet endroit-là, et ils sont au bord de la rive... Oh, si seulement ils pouvaient sortir de leur transe !

— Lily ! cria soudain Argent.

Il fut parcouru par un soubresaut, les ailes figées en plein air, et faillit désarçonner Lily.

— Que se passe-t-il ? hurla-t-elle en s'accrochant désespérément à ses écailles.

— Je ne sais pas... Ah, un message... c'est ton père !

La magie fourmilla dans les doigts de Lily là où ils étaient pressés contre son dos, et elle entendit le message à son tour. Une voix lointaine, qui utilisait le lien entre leur famille et le dragon pour parvenir jusqu'à elle.

Argent ! Lily ! Le maléfice ! Rose a fait apparaître le monstre, je le vois : il est composé de la magie de Georgie. Rappelez-vous que nous avons commencé à arracher le maléfice !

Juste après, une voix plus haut perchée et au timbre plus âgé, celle de Rose, renchérit :

Le fil décousu ! Cherchez le fil décousu !

Lily se retourna pour examiner le dragon noir, désormais tout proche d'eux. Un fil décousu, là où ils avaient commencé à arracher la magie noire qui avait envahi Georgie... Pourtant, le dragon semblait affreusement complet !

— Il doit avoir un point faible, tonna Argent. Espérons qu'il ne sache pas où !

Cette idée semblait lui avoir redonné des forces, et il fit demi-tour, en un mouvement vif comme l'éclair qui prit le dragon noir par surprise. Argent passa sous lui toutes griffes dehors, en crachant du feu, la queue à moitié immergée dans l'eau.

— Là, là, c'est là ! aboya Henrietta, qui sautait sur place dans son excitation, à tel point que Lily dut la saisir par le collier pour l'empêcher de tomber. Sous son aile, regardez ! Un trou ! Je le vois !

Lily se pencha pour mieux étudier l'énorme monstre. Bien que formé de boue et de magie, il semblait si solide ! Ses ailes battaient l'air dans un bruit de tonnerre au-dessus d'eux, et au bout de son long cou qui se tordait comme un serpent, son horrible tête se rapprochait, tout près, bien trop près. Ses yeux brûlaient, et des nuages de fumée verdâtre commençaient à sortir de ses mâchoires.

C'est alors qu'Argent poussa un cri de triomphe et enfonça ses griffes dans le flanc du dragon noir, juste sous son aile de chauve-souris. Et il tira.

Une affreuse puanteur de magie furieuse et croupie se dégagea du dragon noir, et Lily en eut la nausée. Le monstre se dégonfla soudain, comme la montgolfière que Daniel leur avait montrée, un jour, accrochée dans les arbres du parc. Enfin, l'énorme créature se désintégra en mille morceaux, comme autant de petits bouts de tissu.

— Georgie ! Rattrape-la ! cria Lily.

Mais Argent éclata d'un grand rire victorieux.

— Pas la peine, Lily. Regarde !

Lily leva les yeux. Les lambeaux de soie noire retombaient en voltigeant et se posaient sur l'eau sale. Et parmi eux se trouvait une jeune fille qui ne pouvait être que Georgie, mais qu'on avait du mal à reconnaître. Ses cheveux étaient dorés et non d'une blancheur maladive, et elle était enveloppée dans une cape de soie noire à moitié déchirée grâce à laquelle elle planait dans l'air. Et surtout, elle souriait, et son sourire s'élargit encore quand elle se posa en douceur sur le dos d'Argent et s'assit pour passer les bras autour de sa petite sœur.

— C'est fini ? hoqueta Lily, pleine d'espoir.

Georgie tendit les bras, claqua des doigts, et sourit encore.

— Fini. Ce n'est que moi, Lily. Il ne reste rien d'autre. Le fil noir a disparu.

UN AN PLUS TARD

La cloche au-dessus de la porte tinta, et un homme aux cheveux blancs avec une veste richement brodée sortit d'une pièce derrière le comptoir. Ses cheveux étaient ébouriffés comme des aigrettes de pissenlit, et brillaient un peu, d'un léger éclat tirant sur le vert.

— Lily, ma chérie ! Tu ne m'avais pas dit que tu allais passer !

Il jeta un coup d'œil inquiet derrière lui, en direction de l'arrière-boutique.

— Rose m'a donné une liste, expliqua Lily en sortant un papier de sa poche. Nous avons besoin de plein de choses. Nous préparons un sortilège spécial pour la princesse... je veux dire pour la reine.

Elle avait encore du mal à s'y habituer. Pendant des mois, Jane avait habité au théâtre avec elles, raccommodé leurs robes et grondé

Lily quand elle sortait sans chapeau ou perdait un gant. C'était difficile de se convaincre qu'elle régnait, à présent, même si une année s'était écoulée depuis le jubilé et la grande bataille au-dessus de la Tamise.

Argent avait posé Georgie et Lily sur la barge des enfants, et les deux sœurs avaient essayé d'en sauver le plus possible. Mais ces enfants avaient grandi avec les maléfices : ceux-ci s'étaient mêlés à leur sang, insinués dans leurs os. Quand le sortilège avait commencé, ils n'avaient pas pu résister, et rares étaient ceux qui avaient survécu à la danse. Les deux sœurs les avaient désespérément examinés un par un, mais la plupart des tuniques aux couleurs vives ne contenaient plus que des corps pâles et inertes.

— Pourquoi n'en es-tu pas morte, toi aussi ? avait chuchoté Lily à sa sœur.

Ses larmes coulaient sur la joue blanche d'une fillette. Georgie l'avait essuyée, et avait arrangé ses cheveux pour qu'ils encadrent joliment son visage émacié.

— Je ne sais pas. Peut-être parce qu'ils m'ont transmis leur énergie. Et surtout, j'étais sur le dragon quand le sortilège a pris toute son ampleur. Je n'ai pas continué à danser. Car c'est ça qui les a tués, n'est-ce pas ? Ils ont dansé, encore et encore, jusqu'à tomber d'épuisement.

Elle avait jeté un coup d'œil aux trois enfants encore vivants, étendus sous la surveillance d'Henrietta, enveloppés dans les lambeaux de la soie noire du dragon.

— J'espère que ces trois-là guériront, au moins. Ils devaient être moins imprégnés par les maléfices.

— Et elle ? avait demandé Lily en désignant le trône où gisait Sophia. La barge n'a pas coulé, et c'est ainsi qu'elle aurait dû mourir. Mais elle était au milieu du sortilège, au cœur de la danse, alors qu'elle était déjà malade avant...

Main dans la main, Georgie et Lily avaient marché vers la vieille dame effondrée sur le fauteuil doré, son diadème de travers dans ses cheveux blancs. Elles s'étaient agenouillées devant elle, et Lily avait à nouveau senti les larmes lui monter aux yeux. Elles avaient vaincu le dragon et libéré Georgie, mais elles n'avaient pas gagné. Avec tristesse, elle avait pris la main pâle pour redresser la vieille dame sur le siège : elle ne pouvait pas la laisser dans cette posture ridicule. Et soudain, la vieille dame avait soupiré et ouvert les yeux.

— Vous n'êtes pas morte ! avait crié Lily, si bien que la reine avait presque souri.

— Pas encore, avait-elle chuchoté. La musique... est-ce fini ?

— C'était un maléfice, lui avait avoué Lily en se tordant les mains. Un complot. Nous sommes intervenus, mais beaucoup de gens sont morts.

La reine s'était redressée péniblement, la main posée sur l'épaule de Lily, et avait regardé les enfants autour d'elle, puis plus loin. Les bateaux étaient à nouveau dirigés par leurs équipages, qui s'employaient à repêcher les gens tombés à l'eau. La reine s'était alors levée ; voyant cela, les spectateurs sur les rives avaient commencé à lancer leurs chapeaux en l'air et à l'acclamer.

La reine avait examiné Lily de ses yeux bleus, durs et brillants.

— Vous êtes des magiciennes aussi, n'est-ce pas ?

— Oui, avait reconnu Lily.

Le nier aurait été inutile. À ses côtés, Georgie avait confirmé d'un hochement de tête orgueilleux.

— Fort bien. Pouvez-vous faire en sorte que ma voix soit entendue jusqu'aux rives ?

Lily avait cligné des yeux, puis elle avait acquiescé. Elle avait invoqué la magie qui lui restait et l'avait déversée dans le gros diamant que la reine portait au doigt.

— Tenez votre bague en pleine lumière, et parlez dedans.

La pierre avait brillé quand le soleil s'était réfléchi dessus, projetant des éclats d'arc-en-ciel sur l'eau veloutée du fleuve.

La reine s'était redressée fièrement, même si elle tremblait d'épuisement, et avait commencé :

— Mes chers sujets. Ce jour devait être un jour de fête, mais il nous a été cruellement confisqué. Je vous demande de rester calmes, et courageux. Prenez soin les uns des autres. Rentrez chez vous, et tâchez de ne pas vous laisser aller à la peur. Ne laissez personne vous désigner des coupables, ou vous inciter à vous venger.

Elle avait regardé à nouveau Lily et Georgie, et poursuivi :

— Soyez reconnaissants envers ces braves enfants, et ne ressentez que de la pitié envers ces autres, dont les vies ont été sacrifiées dans un but terrible. Tout sera éclairci le moment venu. Pour l'instant, je vous en prie, par l'amour que vous me portez, faites ce que je vous demande.

Des murmures avaient glissé sur l'eau jusqu'à elles, et Lily avait vu que les spectateurs hochaient la tête, échangeaient quelques mots, ramassaient les affaires qu'ils avaient laissées tomber et s'en retournaient vers les rues.

— Ils s'en vont, avait-elle chuchoté à la reine.

Elle l'avait sentie trembler, et avait passé son bras autour de la taille de la vieille dame, en désensorcelant immédiatement la bague, pour éviter que le soupir de douleur de Sophia ne résonne jusqu'aux rives.

— Aurez-vous la force de retourner au palais, Majesté ? Nous pourrions vous y emmener... Ou plutôt, notre dragon pourrait le faire : il en serait ravi. Mais ce n'est pas un moyen de transport très confortable...

— Voici le gros bateau doré qui revient, les avait informées Georgie. La barque de cérémonie.

— Très bien, avait murmuré la reine. Venez avec moi, chères petites. Je désire m'entretenir avec vous.

Lily avait levé la tête vers la silhouette sombre qui planait dans le ciel. Argent profitait des courants d'air ascendants afin de reprendre des forces.

C'est le moment de lui amener la princesse Jane, lui avait-elle dit par télépathie. *Et Papa, et Rose. Ils sauront expliquer la situation mieux que nous.*

Elle avait entendu l'écho de son rire, tout là-haut.

J'y vais, Lily. Es-tu sûre que je serai le bienvenu dans ce palais si luxueux ?

— Majesté, autorisez-vous le dragon à atterrir dans le jardin du palais ? avait-elle demandé.

La vieille dame s'était raidie, mais avait répondu d'une voix parfaitement maîtrisée :

— Certainement. Nous serons enchantée de faire sa connaissance.

Quand elle avait découvert que sa jeune sœur était vivante, Sophia avait abdiqué presque aussitôt. Cela faisait si longtemps qu'elle était malade, avait-elle expliqué, et elle était épuisée. Elle aurait voulu partir bien avant, mais n'ayant pas d'enfant, elle n'avait pas de proche héritier.

— Si seulement Lucasta, Charlotte ou Victoria avaient pu prendre ma place, avait gémi Sophia tout en regardant par la fenêtre le dragon argenté étendu sur la rive du lac, dans le jardin. Mais elles ont renoncé à leurs droits sur la couronne...

La vieille dame fatiguée avait regardé sa sœur en biais, pleine d'espoir. Jane avait soupiré, puis avait hoché la tête.

— Il faut bien que quelqu'un le fasse, après tout, avait-elle expliqué à Lily et Georgie peu après, en arpentant ses anciens appartements. (Elle s'arrêtait souvent pour caresser un bibelot sur la cheminée, ou pour passer un doigt sur le visage d'une vieille poupée en porcelaine.) Je vais commencer par dissoudre le Décret, et autoriser à nouveau la magie dans le pays. J'espère que Rose acceptera de devenir ma conseillère. Vous ai-je raconté qu'elle avait été ma protectrice, autrefois ? Je vais avoir besoin d'elle. Le retour des magiciens ne va pas plaire à tout le monde...

Pourtant, pour un si grand changement, les choses s'étaient passées de manière étonnamment paisible. Le fait que la reine mère Adélaïde ait succombé à une pneumonie après son bain forcé y avait contribué, bien sûr. La violence et la cruauté des Hommes de la reine avaient rendu la population nostalgique du passé, et sans la fureur de la reine mère, l'opposition à la magie s'était éteinte toute seule.

À présent, la magie avait repris droit de cité à la cour, et apparaissait parfois ici ou là dans les rues, comme un plaisant secret. En marchant vers le magasin de son père, Lily avait rencontré un petit garçon qui pleurait parce que son cerf-volant était resté coincé dans un arbre, la queue déchirée. Il ne lui avait fallu qu'une minute pour faire redescendre le jouet, à nouveau intact, et décoré de petits oiseaux qui pépiaient joyeusement. C'était le genre de tour charmant et frivole qu'elle avait toujours rêvé de faire.

Lily baissa les yeux vers sa liste.

— J'ai besoin de plein de choses. Un personnage très important doit venir, de Talisie ou de je-ne-sais-où, pour rendre visite à la reine, et Jane veut montrer que nous utilisons de nouveau la magie. Mais rien de trop voyant ou de vulgaire. Rose dit qu'elle fait sa difficile, mais qu'elle a toujours été pointilleuse, même quand elle était enfant. Elle voulait que tout soit parfait. Nous allons réaliser un sortilège extraordinaire ; Rose m'a tout expliqué ce matin au petit déjeuner. Ce sera impressionnant, mais de bon goût. Bref, puis-je avoir tout ça ?

Elle posa la liste sur le comptoir, et souleva Henrietta pour la poser à côté. Son père examina le papier et sortit sa grande balance en cuivre ainsi qu'une pile de sacs en soie de toutes les couleurs. Puis il entreprit de grimper aux étagères qui couvraient les murs du magasin, grâce à une échelle montée sur des roulettes, et en descendit de nombreux bocaux. Des bocaux dont le contenu pétillait ; des bocaux qui crachaient de la fumée ; des bocaux qui avaient l'air vides ; des bocaux remplis d'une matière noire et bouillonnante, et dont le couvercle était scellé avec de la cire.

— Ça va être lourd. Veux-tu que je vous le fasse livrer ? Avez-vous besoin de quelque chose tout de suite ? demanda Papa en empilant les petits sacs dans une boîte.

— Par coursier ? (Lily fit la moue.) Je ne suis pas sûre que ce soit une bonne idée de confier tout ça à un garçon de courses. Et s'il fait tomber quelque chose ?

Son père sourit.

— Ah, mais je possède mon propre système de livraison, maintenant. Très rapide, et très efficace. Le seul problème, c'est qu'il doit généralement faire passer les commandes par les fenêtres des toits. Rares sont les maisons à Londres avec un jardin assez grand pour qu'un dragon puisse y atterrir...

— Tu utilises Argent comme messager ? s'offusqua Lily.

Son père haussa les épaules.

— Il s'ennuyait, au théâtre. Il m'a raconté que Georgie n'utilisait sa magie que pour des choses très terre à terre, et qu'il ne se passait plus rien d'intéressant depuis que tu étais entrée en apprentissage auprès de Rose.

Rose avait proposé de donner également des leçons à Georgie, mais cette dernière avait poliment refusé. Elle avait eu son compte de magie et de leçons, avait-elle expliqué. Elle était désormais libre d'utiliser ses pouvoirs, mais elle préférait rester au théâtre et travailler comme costumière. Daniel essayait de la convaincre de redevenir son assistante dans son numéro de prestidigitation, mais, objectait-elle, maintenant que tout le monde connaissait son identité, le public croirait qu'elle utilisait de vrais sortilèges.

Même si la magie était désormais légale, elle demeurait rare. Certains magiciens étaient revenus à Londres, et d'autres étaient restés en Angleterre clandestinement pendant toutes ces années, mais la majeure partie d'entre eux s'était établie à l'étranger pour de bon. La magie était rare, et donc fascinante, et donc appréciée. Or, la plupart des gens ne voyaient jamais rien de surnaturel, ce qui signifiait que le numéro de Daniel était plus populaire que jamais. De plus, le public savait que la reine Jane elle-même avait habité dans ce théâtre. Daniel avait ajouté un blason et plein de peinture dorée à l'une des vieilles loges sur le côté de la salle, et l'avait rebaptisée « la loge royale ». Il avait aussi ajouté à la façade du théâtre l'écu des fournisseurs officiels du palais.

C'était assez osé, mais plutôt malin, jugeait Lily. En fin de compte, elle aurait dû se réjouir que Daniel fasse preuve d'un tel sens du commerce : elle ne voulait pas que sa sœur vive dans le besoin, après tout. Georgie continuait à prétendre qu'il n'y avait rien entre Daniel et elle, et qu'il était trop vieux pour elle. Mais elle avait presque quinze ans, et Daniel à peine trois de plus. Par ailleurs, Lily avait vu l'anneau que Daniel conservait dans le tiroir de son bureau. Au centre d'un petit écrin de velours rouge, le bijou brillait de mille feux. Elle était certaine qu'il plairait beaucoup à Georgie.

— Du coup, continua Papa, Peter va construire un dragon mécanique pour Daniel, afin de remplacer Argent. (Il tapota avec le doigt sur la boîte, et les rubans s'entortillèrent jusqu'à former une série de nœuds compliqués.) Un dragon plus petit, qui pourra voler au-dessus de la scène, attaché à des câbles, je crois. Et Argent se plaît bien dans mon arrière-boutique, tu sais. Il paraît qu'elle sent délicieusement bon. Par ailleurs, sa présence est une publicité fantastique. Il y a tous les jours des nouveaux magasins de magie qui ouvrent, mais aucun n'héberge un dragon. Sans compter que je n'ai pas à me soucier des voleurs.

— J'ai mangé le dernier, annonça une voix grondante derrière la porte. Enfin, un petit morceau. Ton père m'a empêché de continuer. Peyton, je crois que vous devriez venir vous occuper de votre potion de sirène. Elle est redevenue verte, et elle scintille.

— Sirène ? glapit Lily.

Son père rougit.

— Oh, juste une petite expérience ! Pour la science, tu comprends. Mais j'en suis à une étape critique. Au revoir, ma chérie. Je t'envoie Argent avec ta commande tout à l'heure !

Et il courut dans l'arrière-boutique, non sans tirer un rideau de velours noir derrière lui.

Henrietta renifla, et allongea le cou pour essayer de distinguer quelque chose entre le rideau et le mur.

— Ton père s'amuse un peu *trop*, Lily.

— Je sais. Une sirène... Argent et lui se valent : il n'y en a pas un pour rattraper l'autre ! Il compense, après toutes ces années où il a été privé de ses pouvoirs, j'imagine. J'espère juste qu'il ne va pas faire de bêtise.

Elle reposa Henrietta par terre, et elles se dirigèrent vers la porte, tout en tendant l'oreille pour essayer de percevoir des bribes de la conversation qui se tenait derrière le rideau. Son père marchait en long et en large, et grommelait quelque chose. Apparemment, la potion de sirène ne tournait pas comme prévu. Lily secoua la tête en riant tout bas. Quand elle posa la main sur la poignée de cuivre, elle s'aperçut que ses doigts frétillaient. Si seulement elle avait pu rapporter les ingrédients tout de suite ! Elle avait presque eu l'eau à la bouche en entendant Rose décrire ce qu'elles allaient réaliser. Elle aurait voulu commencer immédiatement. Elle en avait des démangeaisons dans les mains, où sa magie s'accumulait.

Il fallait qu'elle se dépêche de rentrer. Peut-être pourraient-elles se lancer dans la première partie du sortilège, au moins ? Rose possédait tant de flacons, de boîtes et de sacs, dans son appartement au palais. Elles y trouveraient sûrement de quoi faire quelque chose !

Au moment où elle tira la porte, une fillette bien plus jeune qu'elle s'arrêta face à la devanture, les yeux fixés sur les bocaux alignés et l'inscription dorée qui ondulait sur la vitrine et étincelait sous le soleil de l'après-midi. *Powers et filles, Sortilèges et ingrédients magiques,*

fournisseur officiel de Sa Majesté. La fillette
entortillait une boucle de cheveux autour de
ses doigts avec une certaine nervosité. Lily lui
sourit, et lui tint la porte ouverte.

— Y a-t-il... y a-t-il réellement un dragon,
là-dedans ? chuchota la petite en tirant sur sa
boucle. Un garçon de mon école dit qu'il y en
a un, mais il invente toujours n'importe quoi.
Il nous a affirmé qu'il y avait un griffon en
liberté dans le parc Saint-James, et personne
ne l'a cru. Mais les dragons existent vraiment,
eux. Moi-même, je les ai vus, le jour du jubilé...

Henrietta se dressa sur ses pattes arrière et
tapota le genou de la gamine.

— Il est bien là. Sonne la cloche sur le comptoir.

Quand elle réalisa que c'était Henrietta qui
parlait, la fillette écarquilla les yeux. La chienne
lui sourit avec malice :

— Fais juste attention qu'il ne te transforme
pas en sirène...

— Henrietta, ne lui fais pas peur ! Si tu veux
voir le dragon, conseilla Lily à la petite fille,
descends d'abord la rue jusqu'à la première
confiserie, et offre-lui un peu de chocolat. Les
dragons aiment beaucoup le chocolat...

TABLE DES CHAPITRES

Dépôt légal : août 2014
N° d'édition : L.01EJEN001049.N001
Loi n° 49-956 du 16 juillet 1949
sur les publications destinées à la jeunesse